ROALD DAHL

JAMES UND DER RIESEN DER PFIRSICH

ROALD DAHL

JAMES UND DER RIESEN DER PFIRSICH

Mit Bildern von Quentin Blake

Aus dem Englischen
von Sabine und Emma Ludwig

PENGUIN
JUNIOR

Dieses Buch ist Tessa und Olivia gewidmet

EINS

Bis zu seinem vierten Geburtstag war James Henry Trotter ein glücklicher Junge. Er lebte zufrieden mit seiner Mutter und seinem Vater in einem wunderschönen Haus am Meer. In der Nachbarschaft gab es viele andere Kinder, mit denen er spielte. Und dann war da noch der Sandstrand, auf dem er rennen, und das Meer, in dem er planschen konnte. Für einen kleinen Jungen war es das perfekte Leben.

Doch eines Tages fuhren seine Mutter und sein Vater zum Einkaufen nach London. Und dort geschah etwas Entsetzliches. Am helllichten Tag, dazu auf einer belebten Straße, wurden die beiden von einem riesigen rasenden Rhinozeros aufgefressen, das aus dem Londoner Zoo ausgebrochen war. Stell dir das mal vor!

Wie du dir sicher denken kannst, war das ein sehr schlimmes Erlebnis für zwei so nette Eltern. Auf lange Sicht gesehen war es jedoch für James noch viel schlimmer als für sie. *Ihre* Sorgen hatten sich ruck, zuck in Luft aufgelöst. Innerhalb von gerade einmal fünfunddreißig Sekunden waren sie mausetot. Aber der arme James war quicklebendig und befand sich von einem Tag auf den anderen allein und verängstigt in einer weiten feindlichen Welt.

Das hübsche Haus am Meer wurde auf der Stelle verkauft und der kleine James mit einem Köfferchen, in dem nichts weiter war

außer einem Schlafanzug und einer Zahnbürste, zu seinen beiden Tanten geschickt.

Sie hießen Tante Stumpf und Tante Stiel, und ich muss leider sagen, dass es sich bei den beiden um ganz fürchterliche Menschen handelte. Sie waren selbstsüchtig und faul und grausam. Vom ersten

Tag an bekam der arme James bei jeder nur denkbaren Gelegenheit Prügel. Statt bei seinem Namen nannten sie ihn nur »du ekelhaftes kleines Biest« oder »du elende Kreatur« oder »du dreckige Nervensäge« und an Spielzeug oder Bilderbücher war nicht zu denken. Sein Zimmer war so nackt und kahl wie eine Gefängniszelle.

Tante Stumpf und Tante Stiel und nun auch der kleine James lebten in einem verwinkelten, baufälligen Haus oben auf einem Berg im Süden von England. Der Berg war so hoch, dass James von überall im Garten einen weiten Blick auf die darunterliegenden Wälder und Felder hatte. Und wenn er an besonders klaren Tagen in eine bestimmte Richtung schaute, dann konnte er am Horizont einen winzigen grauen Punkt erkennen. Das war das Haus, in dem er mit seinen geliebten Eltern gelebt hatte. Und genau dahinter sah er das Meer als langen dünnen schwarzblauen Strich, wie eine

Linie aus Tinte, die jemand unter den Rand des Himmels gezogen hatte.

James wurde nicht erlaubt, Haus und Garten zu verlassen. Weder Tante Stumpf noch Tante Stiel wären jemals auf die Idee gekommen, mit ihm irgendwo hinzugehen. Nie nahmen sie ihn zu einem noch so kurzen Spaziergang oder einem Picknick mit. Und allein durfte er schon gar nicht raus.

»Dieser ungezogene kleine Nichtsnutz macht bestimmt bloß Ärger«, hatte Tante Stiel gesagt. Schreckliche Strafen wurden ihm angedroht, falls er auf die Idee käme, über den Gartenzaun zu klettern. Zum Beispiel eine Woche lang im Keller bei den Ratten eingesperrt zu werden.

Der Garten, der sich über die ganze Spitze des Berges erstreckte,

war öde und trostlos. Der einzige Baum weit und breit (mal abgesehen von einem Haufen struppiger Lorbeerbüsche) war ein uralter Pfirsichbaum, der nie auch nur einen Pfirsich getragen hatte. Es gab keine Schaukel, keine Wippe, keinen Buddelkasten, und nie wurden andere Kinder in das Haus auf dem Berg eingeladen, um mit dem armen James zu spielen.

Es gab noch nicht einmal einen Hund oder eine Katze, die ihm hätten Gesellschaft leisten können.

Mit der Zeit wurde James immer trauriger und trauriger und immer einsamer. Jeden Tag verbrachte er Stunde um Stunde damit, am Ende des Gartens zu stehen und wehmütig auf die wunderschöne, aber verbotene Welt aus Wäldern und Feldern und Meer hinabzuschauen, die sich wie ein magischer Teppich vor ihm erstreckte.

ZWEI

James Henry Trotter hatte schon drei volle Jahre bei seinen Tanten gelebt, als sich eines Morgens etwas ziemlich Seltsames ereignete. Auf das, was ich *ziemlich* seltsam nenne, folgte etwas *sehr* Seltsames und auf dieses *sehr* Seltsame folgte etwas wirklich Außergewöhnliches und Fantastisches.

Alles begann im Hochsommer an einem brütend heißen Tag. Tante Stumpf, Tante Stiel und James waren draußen im Garten. Und wie immer musste James arbeiten. An diesem Tag hackte er Holz für den Küchenherd. Um James im Auge zu behalten, hatten es sich die Tanten in seiner Nähe auf Liegestühlen bequem gemacht und schlürften eisgekühlte Limonade aus großen Gläsern.

Tante Stumpf war wahnsinnig dick und dabei sehr klein. Sie hatte winzige Schweinsäuglein und ein eingefallenes Mündchen in einem weißen schwammigen Gesicht. Sie erinnerte an einen großen matschig gekochten Blumenkohl.

Tante Stiel dagegen war hager, lang und knochig und auf ihrer Nasenspitze klemmte ein in Stahl gefasster Kneifer. Sie hatte eine kreischende Stimme und ihre Lippen waren nur ein feuchter dünner Strich. Wenn sie sich aufregte oder wütend war, schossen ihr beim Reden Spucketropfen aus dem Mund.

Und da saßen sie nun, diese beiden garstigen Hexen, nippten an

ihrer Limonade und zwischendurch schrien sie James zu, er solle schneller und schneller hacken.

Sie sprachen auch von sich, wobei jede meinte, sie sei die Schönste.

Tante Stumpf hatte einen Handspiegel auf ihrem Schoß, den sie immer wieder hochhielt, um ihr scheußliches Gesicht zu bewundern.

»*Man sieht's*«, sprach Tante Stumpf bestimmt,
  »ich gleiche wohl den Rosen,
die meine wunderhübsche Nas' mit Wohlgeruch liebkosen!
  Dazu die seidig-zarten Locken
  Und, wenn auch verborgen von den Socken,
    die zierlichsten der Zehen!«
»*Vor allem*«, kreischte Tante Stiel, »*kann jeder deine Wampe sehen!«*

11

Die Tante Stumpf errötete. »Gib's auf«, sprach Tante Stiel,
»bei meinen Kurven, meinen Zähnen
und dem betörenden Gesicht, bleibt dir nur, dich zu schämen.
Wie schön bin ich, wie's Morgenlicht,
da stört ein kleiner Pickel nicht
auf meinem süßen Kinn!« – »Du alter Rochen,«
schrie Tante Stumpf, »bist doch nur Haut und Knochen!«

»Mein Liebreiz«, tönte Tante Stumpf,
»braucht nur den richt'gen Rahmen!
Hollywood käm' grade recht mit seinen wilden Dramen.
Die ganze Welt verehrte mich!
Die größten Rollen spielte ich,
die Stars, die packten alle ein!«
»Bestimmt«, erklärte Tante Stiel,
»wärst du ein prima Frankenstein!«

Der arme James rackerte sich noch immer am Hackklotz ab, die Hitze war unerträglich. Er war in Schweiß gebadet. Sein Arm schmerzte. Die Axt war groß und stumpf und viel zu schwer für so einen kleinen Jungen. Und während er so schuftete, dachte James an all die anderen Kinder auf der Welt und was sie in diesem Moment wohl tun mochten.

Manche fuhren vielleicht auf ihren Rädern durch die Gegend, andere liefen durch kühle Wälder und pflückten Beeren und Blumen. Und all die kleinen Freunde, die er einmal gehabt hatte, waren jetzt bestimmt am Strand und spielten im Sand oder plantschten im Wasser …

Seine Augen füllten sich mit großen Tränen, die ihm die Wange
herunterliefen.

Von seinem Unglück überwältigt, hielt James in der Arbeit inne
und stützte sich am Hackklotz ab.

»Was ist los mit dir?«, kreischte Tante Stiel und funkelte ihn über
den Rand ihres Kneifers böse an.

James fing an zu schluchzen.

»Hör sofort auf damit und hacke weiter, du ungezogener kleiner
Bengel!«, befahl Tante Stumpf.

»Ach, Tantchen Stumpf!«, stieß James aus. »Ach, Tantchen Stiel. Könnten wir drei nicht – *bitte, bitte* – nur ein einziges Mal mit dem Bus runter ans Meer fahren? Es ist nicht sehr weit und mir ist so heiß und ich fühle mich so schrecklich allein und einsam ...«

»Was sagst du da, du faule unnütze Brut?«, kreischte Tante Stiel.

»Schlag ihn!«, schrie Tante Stumpf.

»Und wie ich das werde!« Tante Stiel sah James drohend an und er schaute mit vor Angst geweiteten Augen zurück.

»Aber erst später, wenn mir nicht mehr so heiß ist«, sagte sie. »Und jetzt verschwinde mir aus den Augen, du widerlicher Wurm, und lass mich in Ruhe.«

James drehte sich um und rannte fort. Er rannte, so weit er nur konnte, bis zum äußersten Ende des Gartens und versteckte sich hinter den struppigen Lorbeerbüschen, die ich schon erwähnt habe. Er verbarg sein Gesicht in den Händen und weinte bitterlich.

DREI

Und hier geschah das *ziemlich* Seltsame, das noch so viele andere sehr viel seltsamere Dinge nach sich ziehen sollte.

Denn plötzlich hörte James genau hinter sich ein Blätterrascheln. Er drehte sich um und sah einen alten Mann in einem ulkigen dunkelgrünen Anzug aus den Büschen treten. Es war ein sehr kleiner alter Mann mit einem riesigen kahlen Kopf und einem über und über mit schwarzen Barthaaren bedeckten Gesicht. Als er knapp drei Meter von James entfernt war, blieb er auf seinen Stock gestützt stehen und starrte ihn eindringlich an.

Langsam begann er mit krächzender Stimme: »Komm näher zu mir, mein Junge«, sagte er und winkte James zu sich. »Komm her zu mir und ich werde dir etwas Wundervolles zeigen.«

James konnte sich vor Schreck nicht rühren.

Der alte Mann humpelte ein, zwei Schritte auf James zu, dann griff er in seine Jackentasche und zog eine kleine weiße Papiertüte heraus.

»Siehst du das?«, flüsterte er und schwenkte die Tüte vor James' Gesicht. »Weißt du, was das ist, mein Lieber? Weißt du, was hier in dieser kleinen Tüte steckt?«

Er rückte noch ein Stückchen näher, beugte sich vor und kam mit seinem Gesicht so nah, dass James seinen Atem auf den

Wangen spürte. Der Atem roch modrig, abgestanden und ein wenig schimmlig wie die Luft in einem alten Keller.

»Schau her, mein Lieber«, sagte der alte Mann und öffnete die Tüte. Er hielt sie James hin. Die Tüte war voll mit winzigen grünen Dingern, die aussahen wie kleine Steinchen oder Kristalle, nicht viel größer als Reiskörner. Sie waren ausgesprochen schön, umgeben von einer Helligkeit, die sie auf das Wundervollste leuchten und funkeln ließ.

»Hör hin«, flüsterte der alte Mann. »Hör, wie sie sich bewegen.«

James schaute in die Tüte und vernahm tatsächlich ein schwaches Rascheln. Und dann bemerkte er, dass die Abertausend kleinen grünen Dinger sich langsam, ganz langsam bewegten und übereinanderkrochen, als ob sie lebendig wären.

»In diesen Dingern steckt mehr Macht und Magie als im ganzen Rest der Welt zusammen«, sagte der Mann leise.

»Aber … was … *sind* die?«, brachte James schließlich heraus. »Wo kommen sie her?«

»Ha!«, flüsterte der alte Mann. »Das rätst du nie.«

Er beugte sich ein wenig vor und bewegte sein Gesicht immer näher an das von James heran, bis seine lange Nase James' Stirn berührte. Dann machte er plötzlich einen Satz zurück und wedelte wie ein Verrückter mit seinem Stock in der Luft herum.

»Krokodilzungen!«, brüllte er. »Eintausend lange schleimige Krokodilzungen, zwanzig Tage und zwanzig Nächte lang im Schädel einer toten Hexe gekocht, zusammen mit den Augäpfeln einer Echse! Füge noch die Finger eines jungen Affen, den Magen eines Ebers, den Schnabel eines grünen Papageis und den Saft eines Stachelschweins sowie drei Löffel Zucker hinzu. Lass es eine weitere Woche ziehen, den Rest erledigt dann der Mond.

Und mit diesen Worten drückte der Mann James die weiße Papiertüte in die Hand und sagte: »Hier! Nimm. Sie gehören dir.«

VIER

James Henry Trotter stand da, hielt die Tüte umklammert und starrte den alten Mann an.

»Alles, was du jetzt noch tun musst, ist Folgendes«, sagte der. »Fülle einen großen Krug mit Wasser und schütte die kleinen grünen Dinger hinein. Dann reißt du dir zehn Haare aus und lässt sie langsam eins nach dem anderen in den Krug fallen. Das aktiviert sie … Nach wenigen Minuten fängt das Wasser an wild zu schäumen und zu blubbern. Sobald das passiert, musst du es sofort austrinken. Den ganzen Krug in einem Zug.

Und dann, mein Lieber, wird es in deinem Magen rumpeln und pumpeln, Dampf kommt aus deinem Mund und gleich darauf werden mit dir wundervolle Dinge geschehen. *Fantastische, unglaubliche* Dinge – und du wirst nie mehr unglücklich sein. Denn du bist doch unglücklich, nicht wahr? Du musst mir nichts erzählen, ich weiß alles.

Und jetzt los und tu genau, was ich dir gesagt habe. Und kein Wort davon zu diesen zwei grässlichen Tanten. Nicht ein Wort! Und pass ja auf, dass dir die grünen Dinger nicht entwischen, denn wenn das passiert, dann wird ihr Zauber für jemand anderen wirksam sein und nicht für *dich*! Und das willst du doch nicht oder, mein Lieber?

Auf wen sie zuerst treffen, sei es Käfer, Blume, Tier oder Baum, dem-jenigen wird die ganze Kraft der Magie zuteil! Also halte die Tüte gut fest. Gib acht, dass das Papier nicht reißt. Los jetzt! Beeil dich! Trödel nicht herum! Verlier keine Zeit! Fort mit dir!«

Der alte Mann drehte sich um und verschwand in den Lorbeer-büschen.

FÜNF

James rannte so schnell er konnte zum Haus zurück. Er wollte alles in der Küche erledigen – wenn er doch nur unbemerkt an Tante Stumpf und Tante Stiel vorbeikäme! Er war schrecklich aufgeregt. Ohne auf seine nackten Knie zu achten, sauste er durch stacheliges Gras und Brennnesseln.

In der Ferne konnte er mit dem Rücken zu ihm die Tanten in ihren Liegestühlen sitzen sehen. Er schlug einen großen Bogen, um zur anderen Seite des Hause zu gelangen. Doch gerade als er an dem alten Pfirsichbaum vorbeilief, stolperte er und fiel der Länge nach ins Gras. Die Papiertüte platzte auf und die Abertausend kleinen grünen Dinger flogen in alle Richtungen.

James rappelte sich auf und versuchte, auf Händen und Knien den kostbaren Schatz wieder einzusammeln.

Doch was war das? Die kleinen grünen Dinger verschwanden in der Erde! Er sah, wie sie sich drehten und wendeten, während sie sich tiefer in den harten Boden bohrten.

James streckte die Hand aus, um in letzter Minute ein paar von ihnen zu erwischen, doch er griff ins Leere.

Er wollte ein paar andere schnappen, doch es passierte genau dasselbe! Verzweifelt krabbelte er herum und versuchte, die übrig gebliebenen zu fassen, aber sie waren schneller. Jedes Mal, wenn

seine Fingerspitzen eins von ihnen fast berührte, wurde es von der Erde verschluckt. Innerhalb weniger Sekunden war kein einziges der kleinen grünen Dinger mehr zu sehen.

James hätte am liebsten geweint. Nun waren sie für immer verloren, er würde sie niemals wiederbekommen.

Doch wo waren sie abgeblieben? Und warum um alles in der Welt hatten sie es so eilig gehabt, unter die Erde zu kommen? Was hatten sie vor? Da unten gab es schließlich nichts. Nichts bis auf die Wurzeln des alten Pfirsichbaumes … und einer Menge Regenwürmer und Tausendfüßler und anderer Insekten.

Was hatte der alte Mann noch einmal gesagt? *Auf wen sie zuerst treffen, sei es Käfer, Blume, Tier oder Baum, demjenigen wird die ganze Kraft der Magie zuteil!*

Himmel!, dachte James. *Was passiert wohl, wenn sie auf einen Regenwurm treffen? Oder einen Tausendfüßler? Oder eine Spinne? Und was, wenn sie sich in die Wurzeln des Pfirsichbaumes bohren?*

»Steh sofort auf, du Faulpelz!«, gellte eine Stimme in James' Ohr. Er schaute hoch und sah riesig und knochig und grimmig Tante Stiel über ihm aufragen. Böse funkelte sie ihn durch ihren Kneifer an. »Komm sofort zurück und hack das Holz zu Ende!«, befahl sie.

Tante Stumpf, schwammig wie eine Qualle, kam ihrer Schwester hinterhergewatschelt, um zu sehen, was da los war. »Warum stecken wir den Jungen nicht in einen Eimer, lassen ihn runter in den Brunnen und dann die ganze Nacht da drin?«, schlug sie vor. »Das wird ihn lehren, nicht ständig auf der faulen Haut zu liegen.«

»Prima Idee, liebe Stumpf, aber erst soll er noch weiter das Holz hacken. Abmarsch, du Satansbraten, und an die Arbeit!«

Langsam und traurig stand James auf und ging zurück zu dem Stapel Holz. Ach, wenn er doch nur nicht gestolpert und hingefallen wäre und die kostbare Tüte nicht hätte fallen lassen! All seine Hoffnung auf ein glücklicheres Leben war nun dahin. Heute und morgen und übermorgen und alle anderen Tage würden für ihn nichts als Prügel und Pein, Kummer und Verzweiflung bereithalten.

Er hob die Axt auf und wollte gerade den nächsten Holzscheit klein hacken, als ihn ein Schrei herumfahren ließ.

SECHS

Stumpf! Stumpf! Komm sofort her und sieh dir das an!«

»Was denn?«

»Ein Pfirsich!«, schrie Tante Stiel.

»Ein was?«

»Ein Pfirsich! Da oben, am höchsten Ast! Siehst du ihn nicht?«

»Da musst du dich irren, meine liebe Stiel. An diesem grässlichen Baum sind noch *nie* Pfirsiche gewachsen.«

»Jetzt ist da aber ein Pfirsich, Stumpf! Sieh doch selbst!«

»Du willst mich wohl auf den Arm nehmen, Stiel. Du willst, dass mir das Wasser im Mund zusammenläuft, obwohl es weit und breit nichts zu essen gibt. Wirklich, an diesem Baum gab's doch noch nie auch nur eine einzige Blüte, geschweige denn einen Pfirsich. Oben auf dem höchsten Ast, also? Ich sehe gar nichts. Sehr witzig … Ha, ha… *Du meine Güte!* Da hol mich doch der Teufel! Da hängt ja *wirklich* ein Pfirsich am Baum!«

»Ein schöner großer noch dazu!«, sagte Tante Stiel.

»Und wie schön er ist!«, schrie Tante Stumpf.

Jetzt ließ James langsam die Axt sinken, drehte sich um und schaute hinüber zu den zwei Frauen, die unter dem Pfirsichbaum standen.

Irgendetwas wird passieren, sagte er sich. *Irgendetwas Seltsames wird jeden Moment passieren.* Er hatte nicht den leisesten Schimmer, was es sein würde, aber er spürte es tief in seinem Innern, dass bald etwas passieren würde. Er spürte es in der Luft um ihn herum, in der plötzlichen Stille, die sich über den Garten gelegt hatte …

Auf Zehenspitzen schlich James ein wenig näher zum Baum. Die Tanten hatten aufgehört zu sprechen. Sie standen einfach nur da und starrten den Pfirsich an. Nichts rührte sich, nicht mal eine kleine Brise, die Sonne brannte weiter aus einem tiefblauen Himmel auf sie herab.

Schließlich brach Tante Stiel das Schweigen. »Ich finde, er sieht reif aus«, sagte sie.

»Warum essen wir ihn dann nicht?«, schlug Tante Stumpf vor und leckte sich die dicken Lippen. »Jede bekommt eine Hälfte. Hey, du, James! Komm sofort her und klettere auf den Baum!«

James lief zu ihnen.

»Ich will, dass du uns diesen Pfirsich da oben am höchsten Ast pflückst«, fuhr Tante Stumpf fort. »Siehst du ihn?«

»Ja, Tantchen Stumpf, ich sehe ihn!«

»Und wage es ja nicht, selbst etwas davon zu probieren. Deine Tante Stiel und ich werden ihn uns teilen, gleich hier auf der Stelle, eine Hälfte für jede. Los jetzt! Rauf in den Baum!«

James trat näher an den Baum heran.

»Halt!«, sagte Tante Stiel schnell. »Keinen Schritt weiter!« Mit offenem Mund und weit aufgerissenen Augen starrte sie hoch ins Geäst, als hätte sie ein Gespenst gesehen. *»Guck!«*, sagte sie. *»Guck doch,* Stumpf, *guck*!«

»Was ist los mit dir?«, rief Tante Stumpf.

»Er *wächst*!«, schrie Tante Stiel. »Er wird immer größer und größer!«

»Wer?«

»Der Pfirsich, natürlich!«

»Du machst Witze!«

»Sieh doch hin!«

»Aber, meine liebe Stiel, das ist doch lächerlich. Das ist unmöglich. Das – das ist – das ist – Moment mal – Nein – Nein – das kann
nicht wahr sein – Nein – Doch – Heiliger Strohsack! Das Ding
wächst *wirklich*!«

»Er ist schon fast doppelt so groß!«, rief Tante Stiel.

»Das kann nicht wahr sein!«

»Es ist wahr!«

»Es muss ein Wunder sein!«

»Sieh ihn dir an! Sieh ihn dir an!«

»Ich sehe ihn ja an!«

»Ach, du dickes Ei!«, rief Tante Stiel. »Das Ding schwillt und wächst vor unseren Augen!«

SIEBEN

Reglos standen die beiden Frauen und der kleine Junge auf dem Rasen unter dem Pfirsichbaum und blickten wie gebannt nach oben auf diese wundersame Frucht. James' kleines Gesicht glühte vor Aufregung, die großen Augen leuchteten wie zwei Sterne. Der Pfirsich schwoll weiter an, als wäre er ein Ballon, der gerade aufgeblasen wurde.

Nach einer halben Minute war er so groß wie eine Melone!

Nach noch einer halben Minute war er *doppelt* so groß wie eine Melone!

»Sieh doch nur, wie er *wächst*!«, schrie Tante Stiel.

»Er hört gar nicht mehr auf!«, kreischte Tante Stumpf, warf ihre fetten Arme in die Luft und tanzte im Kreis herum.

Inzwischen war der Pfirsich so groß, dass es aussah, als würde ein riesiger goldgelber Kürbis am höchsten Ast baumeln.

»Weg vom Baum, du dummer Junge!«, rief Tante Stiel. »Die kleinste Erschütterung und der Pfirsich fällt runter! Er muss mindestens schon zehn oder fünfzehn Kilo wiegen!«

Der Ast, an dem der Pfirsich hing, wurde von seinem Gewicht immer mehr herabgezogen.

»Zurück!«, schrie Tante Stumpf.

»Gleich fällt er! Der Ast bricht!«

Doch der Ast brach nicht. Er bog sich einfach weiter und weiter, je schwerer der Pfirsich wurde.

Und der Pfirsich wuchs noch immer.

Eine weitere Minute verging und diese Riesenfrucht war genauso groß und dick und rund wie Tante Stumpf und wahrscheinlich auch genauso schwer.

»Jetzt *muss* er aufhören!«, kreischte Tante Stiel. »Er kann doch nicht endlos weiter wachsen!«

Doch der Pfirsich wuchs immer weiter. Bald war er so groß wie ein Kleinwagen und reichte halb bis zum Boden.

Die beiden Tanten hüpften nun um den Baum herum, klatschten in die Hände und gaben vor Aufregung allerhand dummes Zeug von sich.

»Halleluja!«, rief Tante Stiel. »Was'n Pfirsich! Was'n Pfirsich!«

»Gigantiko! Fantastiko! Fabelhaftiko!«, schrie Tante Stumpf. »Was für ein Schmaus!«

»Er wächst immer noch!«

»Ich weiß! Ich weiß!«

James war von der ganzen Sache so verzaubert, dass er einfach nur dastand und schaute und leise vor sich hin murmelte: »Ach, ist das schön. Das ist das Schönste, was ich je gesehen hab.«

»Halt die Klappe, du Schwachkopf!«, bellte Tante Stiel, als sie ihn hörte. »Das geht dich nichts an!«

»Ganz genau«, verkündete Tante Stumpf. »Das hat rein gar nichts mit dir zu tun! Halt du dich da raus.«

»Guck doch!«, rief Tante Stiel. »Er wächst jetzt schneller und schneller!«

»Ich seh's, Stiel! Ich seh's!«

Größer und immer größer wurde der Pfirsich, größer und größer und größer.

Und als er schließlich fast so groß war wie der Baum, an dem er wuchs, so groß und breit wie ein kleines Haus, da stupste er sacht auf dem Boden auf – und dort blieb er liegen.

»Jetzt kann er nicht mehr abfallen!«, rief Tante Stumpf.

»Er hat aufgehört zu wachsen!«, kreischte Tante Stiel.

»Hat er nicht!«

»Hat er doch!«

»Er wird langsamer, Stiel, er wird langsamer. Aber aufgehört hat er noch nicht! Guck doch hin!«

Eine Pause entstand.

»Jetzt hat er aber aufgehört!«

»Ich glaube, du hast recht.«

»Was meinst du? Kann man ihn anfassen?«

»Ich weiß nicht. Wir sollten vorsichtig sein.«

Tante Stumpf und Tante Stiel schlichen langsam um den Pfirsich herum und begutachteten ihn von allen Seiten. Wie Großwildjäger, die gerade einen Elefanten erlegt hatten und sich nicht sicher waren, ob er auch wirklich tot war. Die gigantische runde Frucht ragte so hoch über sie hinaus, dass sie daneben aussahen wie Zwerge von einem anderen Stern.

Die Haut des Pfirsichs war wunderschön – ein sattes, buttriges Gelb, getupft mit leuchtend rosa und roten Flecken.

Vorsichtig näherte sich Tante Stumpf und berührte den Pfirsich mit der Fingerspitze. »Er ist reif!«, schrie sie. »Er ist absolut perfekt! Los, wir holen gleich den Spaten und stechen uns einen dicken fetten Batzen raus, was meinst du, Stiel?«

»Nein«, sagte Tante Stiel bestimmt. »Noch nicht.«

»Warum denn nicht?«

»Weil ich es so sage.«

»Aber ich kann es gar nicht *abwarten*, etwas davon zu essen!«, schrie Tante Stumpf. Ihr lief das Wasser schon im Mund zusammen und ein dünner Spuckefaden rann ihr übers Kinn.

»Meine liebe Stumpf«, sagte Tante Stiel langsam, zwinkerte ihrer Schwester zu und lächelte ihr verschlagenes, dünnlippiges Lächeln. »Wenn wir es richtig anstellen, können wir mit dem Pfirsich ein hübsches Sümmchen verdienen. Wart's nur ab.«

ACHT

Die Nachricht, dass in einem Garten plötzlich ein Pfirsich so groß wie ein Haus aufgetaucht war, verbreitete sich wie ein Lauffeuer, und schon am nächsten Tag kam eine Menschenschar den steilen Berg hinaufgekraxelt, um das Wunder mit eigenen Augen zu sehen.

Tante Stumpf und Tante Stiel ließen sofort ein paar Handwerker kommen, die einen hohen Zaun um den Pfirsich bauten, um ihn vor der Menge zu schützen, unterdessen postierten sich diese zwei ausgefuchsten Weiber vor dem Tor und verlangten Eintritt von allen, die den Pfirsich bewundern wollten.

»Treten Sie näher! Treten Sie näher!«, rief Tante Stiel. »Nur ein Schilling, um den Riesenpfirsich zu sehen!«

»Kinder, die jünger als sechs Wochen sind, zahlen nur den halben Preis!«, rief Tante Stumpf.

»Einer nach dem anderen, bitte! Kein Schubsen! Kein Drängeln! Sie kommen alle rein!«

»He, du! Komm sofort zurück! Du hast noch nicht bezahlt!«

Um die Mittagszeit herrschte im Garten der beiden Tanten ein heilloses Durcheinander aus Männern, Frauen und Kindern, die schubsten und drängelten, um einen Blick auf diese wundersame Frucht zu werfen. Wie riesige Wespen landeten Hubschrauber auf dem Berg,

und aus den Hubschraubern ergossen sich Ströme von Reportern, Kameramännern und Fernsehmoderatoren auf den Rasen.

»Wer eine Kamera dabei hat, zahlt doppelt!«, schrie Tante Stiel.

»Na gut!«, antworteten die Reporter. »Das ist uns egal!« Und die Taschen der zwei gierigen Tanten quollen bald über vor Münzen.

Während draußen im Garten große Aufregung herrschte, war der arme James in seinem Zimmer eingesperrt und spähte durch die Fenstergitter auf die Menschenmenge.

»Dieser elende Lausebengel wird uns nur im Weg sein, wenn wir ihn rumlaufen lassen«, hatte Tante Stiel an diesem Morgen gesagt.

»Oh, *bitte*!«, hatte James gebettelt. »Ich habe schon seit Jahren keine anderen Kinder mehr gesehen, und es werden doch bestimmt viele kommen, mit denen ich spielen könnte. Und vielleicht kann ich euch beim Verkauf der Eintrittskarten helfen.«

»Halt die Klappe!«, hatte Tante Stumpf gebellt. »Deine Tante Stiel und ich sind kurz davor, Millionärinnen zu werden, und das Letzte, was wir gebrauchen können, ist so ein Naseweis wie du, der uns alles vermasselt.«

Später, als der Abend anbrach, und die Besucher nach Hause gegangen waren, schlossen die Tanten James' Tür auf und befahlen ihm, in den Garten zu gehen und die Bananenschalen, Apfelbutzen und Papierschnipsel einzusammeln, die die Menge hinterlassen hatte.

»Kann ich bitte erst etwas zu essen bekommen?«, fragte James. »Ich hatte den ganzen Tag noch nichts.«

»Nein!«, riefen die Tanten und stießen ihn aus der Tür. »Wir sind zu beschäftigt, um Essen zu machen! Wir müssen unser Geld zählen!«

»Aber es ist schon dunkel!«, rief James.

»Raus mit dir!«, schrien sie. »Und bleib so lange draußen, bis du alles in Ordnung gebracht hast!« Die Tür schlug zu. Der Schlüssel drehte sich im Schloss.

NEUN

Hungrig und zitternd stand James im Freien und überlegte, was er tun sollte. Um ihn herum war tiefste Nacht. Hoch oben zog ein wilder weißer Mond über den Himmel. Nichts rührte sich.

Die meisten Menschen – ganz besonders kleine Kinder – fürchten sich davor, nachts allein im Freien zu sein. Es herrscht Totenstille, die langen schwarzen Schatten bilden unheimliche Formen, die sich zu bewegen scheinen, wenn man sie betrachtet, und beim leisesten Knacken eines Ästchens zuckt man vor Schreck zusammen.

Auch James fürchtete sich sehr. Mit großen, angsterfüllten Augen starrte er geradeaus und wagte kaum zu atmen. Nicht weit von ihm, in der Mitte des Gartens, konnte er den riesigen Pfirsich sehen, der sich über alles andere erhob. War er heute Nacht nicht noch

größer als zuvor? Was für ein überwältigender Anblick! Die Haut des Pfirsichs glitzerte und schimmerte im Mondlicht. Es sah aus, als würde ein riesiger silberner Ball im Gras liegen, stumm, geheimnisvoll und wunderbar.

Plötzlich liefen James kleine Schauer der Aufregung über den Rücken.

Noch etwas anderes, sagte er sich, *etwas noch viel Seltsameres als je zuvor wird gleich geschehen.* Er war sich ganz sicher. Er konnte es spüren.

James blickte sich um und fragte sich, was um alles in der Welt wohl diesmal passieren würde. Still lag der Garten im schimmernden Mondlicht. Das Gras war feucht und zu seinen Füßen glitzerten und blitzten eine Million Tautropfen wie kleine Diamanten. Auf einmal schien es, als würde alles um ihn herum von einem Zauber zum Leben erweckt.

Ohne genau zu wissen, was er tat, wie magnetisch von ihm angezogen, ging James Henry Trotter auf den Riesenpfirsich zu. Er kletterte über den Zaun, der ihn umgab, und stand nun direkt davor und blickte an den prallen Wölbungen hoch. Dann streckte James eine Hand aus und berührte den Pfirsich sanft mit der Fingerspitze. Er fühlte sich weich und warm an und ein bisschen pelzig, wie das Fell einer jungen Maus. James trat noch einen Schritt näher und rieb seine Wange vorsichtig an der weichen Pfirsichhaut. Und dabei bemerkte er, dass schräg unter ihm ein Loch im Pfirsich klaffte.

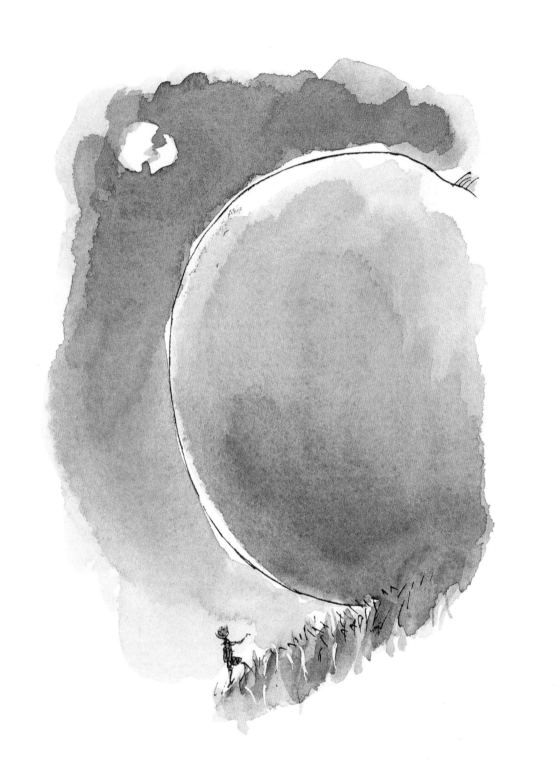

ZEHN

Das Loch war ziemlich groß, ungefähr so groß wie der Eingang zu einem Fuchsbau.

James kniete sich hin und steckte seinen Kopf in das Loch.

Er kroch hinein.

Er kroch immer weiter.

Das ist gar kein Loch, dachte er aufgeregt. *Das ist ein Tunnel!*

Der Tunnel war feucht und erfüllt von dem bittersüßen Geruch von frischem Pfirsich. Der Boden unter James' Knien war matschig, die Wände klebrig, und von der Decke tropfte Pfirsichsaft. James öffnete den Mund und streckte die Zunge raus, um ein paar Tropfen aufzufangen. Der Saft schmeckte köstlich.

Nun ging es aufwärts, als ob der Tunnel genau in die Mitte des Pfirsichs führte. Alle paar Sekunden hielt James inne, um ein Stück aus den Wänden abzubeißen. Das Pfirsichfleisch war süß und saftig und herrlich erfrischend.

James kroch noch einige Meter weiter, bis er plötzlich – *Peng!* – mit dem Kopf gegen etwas Hartes stieß, das ihm den Weg versperrte. Er hob den Kopf. Vor ihm war eine Wand, die auf den ersten Blick aussah, als wäre sie aus Holz. Er streckte seine Hand aus und berührte sie. Jedenfalls fühlte es sich so an wie Holz. Bloß war die Wand ganz zerklüftet und zerfurcht.

»Ach, du meine Güte!«, sagte James. »Ich weiß, was das ist! Ich bin am Pfirsichkern angekommen!«

In diesem Moment bemerkte er die kleine Tür, die in die Oberfläche des Kerns geschnitten war. Er gab ihr einen Stoß, und die Tür schwang auf. James kroch hindurch, und noch bevor er hoch blicken konnte, um zu sehen, wo er sich befand, hörte er eine Stimme sagen: »*Seht mal*, wer hier ist!« Und eine andere Stimme sagte: »Wir haben schon auf dich *gewartet*!«

James hielt inne und starrte die Sprecher an. Vor Schreck wurde er ganz blass.

Er versuchte aufzustehen, doch seine Knie schlotterten so sehr, dass er sich wieder hinsetzen musste. Er schielte hinter sich in der Hoffnung, dass er zurück in den Tunnel und fliehen konnte, doch die Tür war verschwunden. Da war nur noch eine massive braune Wand.

ELF

James große, ängstliche Augen wanderten langsam durch den Raum.

Die Kreaturen, die es sich auf Sesseln und einem Sofa bequem gemacht hatten, beobachteten ihn aufmerksam.

Kreaturen?

Oder waren es Insekten?

Ein Insekt ist für gewöhnlich etwas sehr Kleines, nicht wahr? Ein Grashüpfer zum Beispiel ist ein Insekt.

Was würdest du also sagen, wenn du einen Grashüpfer siehst, der so groß ist wie ein Hund? So groß wie ein *großer* Hund. Den würdest du ja wohl kaum mehr als Insekt bezeichnen, oder?

Und ein alter Grüner Grashüpfer, so groß wie ein großer Hund, saß James genau gegenüber.

Und neben dem alten grünen Grashüpfer, der so groß war wie ein großer Hund, hockte eine enorme Spinne.

Und neben der Spinne saß ein gigantischer Marienkäfer mit neun schwarzen Punkten auf dem roten Panzer.

Alle drei thronten auf prächtigen Sesseln.

Auf einem Sofa daneben lümmelten halb aufgerichtet, halb eingerollt ein Hundertfuß und ein Regenwurm.

In einer Ecke weiter hinten lag etwas Dickes, Weißes auf dem

Boden, das man für eine Seidenraupe hätte halten können. Aber was auch immer es sein mochte, es schlief tief und fest und niemand kümmerte sich darum.

Alle diese seltsamen »Kreaturen« waren mindestens so groß wie James. Und in dem eigentümlich grünlichen Licht, das von irgendwoher in der Decke auf sie herunter schien, waren sie ein Furcht einflößender Anblick.

»Ich habe Hunger!«, verkündete die Spinne plötzlich und starrte James dabei an.

»*Ich* bin schon halb verhungert!«, sagte der Alte Grüne Grashüpfer.

»Und ich erst!«, schrie der Marienkäfer.

Der Hundertfuß setzte sich aufrecht hin. »Wir *alle* sind schon halb verhungert!«, sagte er. »Wir brauchen etwas zu essen!«

Vier Paar runde schwarze, glänzende Augen waren fest auf James gerichtet.

Der Hundertfuß machte eine schlängelnde Bewegung, so als ob er vom Sofa gleiten wollte – doch das tat er nicht.

Es entstand eine lange Pause – und ein langes Schweigen.

Die Spinne (die ein Spinnenweibchen war) öffnete ihren Mund und fuhr sich mit einer langen schwarzen Zunge elegant über die Lippen. Plötzlich beugte sie sich vor. »Bist du nicht auch hungrig?«, fragte sie James.

Der arme James stand zitternd an die Wand gedrückt und konnte vor Angst nicht antworten.

»Was ist los mit dir?«, fragte der alte grüne Grashüpfer. »Ist dir nicht wohl? Du bist ganz blass.«

»Er sieht aus, als würde er jeden Moment aus den Latschen kippen«, sagte der Hundertfuß.

»Ach, du meine Güte, der arme Kerl!«, rief der Marienkäfer (der eine Marienkäferdame war). »Ich glaube, er denkt, wir wollen *ihn* essen!«

Alle brachen in schallendes Gelächter aus.

»Himmel!«, riefen sie. »Was für ein grässlicher Gedanke!«

»Du musst keine Angst haben«, sagte die Käferdame freundlich. »Wir würden nicht im *Traum* daran denken, dir etwas anzutun. Du bist doch jetzt einer von *uns*, weißt du das nicht? Du bist jetzt Teil der Besatzung. Wir sitzen alle im selben Boot.«

»Wir haben schon den ganzen Tag auf dich gewartet«, sagte der Alte Grüne Grashüpfer. »Wir dachten schon, du kommst nie. Ich bin froh, dass du es endlich geschafft hast.«

»Also Kopf hoch, mein Junge, Kopf hoch!«, sagte der Hundertfuß. »Und außerdem könntest du ja mal herkommen und mir mit meinen Stiefeln behilflich sein. Es dauert *Stunden*, wenn ich sie alle selbst ausziehen muss.«

ZWÖLF

Da dies sicher kein geeigneter Moment war, um zu widersprechen, ging James durch den Raum hinüber zum Sofa und kniete sich neben den Hundertfuß.

»Vielen Dank!«, sagte der. »Das ist wirklich nett von dir!«

»Sie haben aber eine Menge Stiefel«, murmelte James.

»Ich habe auch eine Menge Beine«, antwortete der Hundertfuß stolz. »Und eine Menge Füße. Einhundert, um genau zu sein.«

»Jetzt fängt er schon wieder damit an!«, rief der Regenwurm, der bisher geschwiegen hatte. »Er kann einfach nicht aufhören, Lügen über seine Füße zu verbreiten! Er hat noch nicht mal *ansatzweise* hundert! Er hat nur zweiundvierzig! Nur macht sich niemand die Mühe nachzuzählen. Alle glauben ihm. Und ganz abgesehen davon, Hundertfuß, es ist überhaupt nichts *Besonderes* daran, eine Menge Füße zu haben.«

»Armer Kerl«, flüsterte der Hundertfuß James ins Ohr. »Er ist blind. Er kann nicht wissen, wie umwerfend ich aussehe.«

»Meiner Meinung nach«, fuhr der Regenwurm fort, »ist es etwas *wirklich* Besonderes, gar keine Füße zu haben und trotzdem gut laufen zu können.«

»Das nennst du *laufen*!«, schrie der Hundertfuß. »Du bist ein *Glitscher*, mehr nicht! Du *glitschst* einfach rum!«

»Ich gleite«, erwiderte der Regenwurm spitz.

»Du bist ein schleimiger Kerl«, gab der Hundertfuß zurück.

»Ich bin *kein* schleimiger Kerl«, sagte der Regenwurm. »Ich bin ein nützliches und viel geliebtes Geschöpf. Da kannst du jeden Gärtner fragen. Und was dich betrifft …«

»Ich bin Ungeziefer!«, verkündete der Hundertfuß mit einem breiten Grinsen und blickte Beifall heischend in die Runde.

Die Käferdame lächelte James an. »Ich werde nie begreifen, warum er darauf so stolz ist.«

»Ich bin das einzige Ungeziefer in diesem Pfirsich!«, rief der

Hundertfuß und grinste immer noch. »Es sei denn, du zählst den Alten Grünen Grashüpfer dazu. Aber der ist schon jenseits von Gut und Böse. Der ist viel zu alt, um noch Ungeziefer zu sein.«

Der Alte Grüne Grashüpfer warf dem Hundertfuß aus seinen riesigen schwarzen Augen einen vernichtenden Blick zu. »Junger Mann«, sagte er bedächtig und mit tiefer Stimme. »Ich war zu keinem Zeitpunkt meines Lebens ein Ungeziefer. Ich bin Musiker.«

»Hört, hört!«, flötete die Käferdame.

»James«, sagte der Hundertfuß. »Dein Name ist doch James, oder?«

»Ja.«

»Also, James, hast du jemals in deinem Leben schon so einen kolossal wunderbaren Hundertfuß wie mich gesehen?«

»Nein, ganz bestimmt nicht«, antwortete James. »Wie um alles in der Welt sind Sie so groß geworden?«

»*Sehr* eigenartig«, sagte der Hundertfuß. »Das war *sehr, sehr* eigenartig. Ich erzähl dir, was passiert ist. Ich hab mich im Garten unter dem alten Pfirsichbaum rumgetrieben. Und plötzlich zappelte an mir so ein ulkiges grünes Ding vorbei. Es war wirklich sehr grün und schön und sah aus wie ein kleiner Kieselstein oder ein Kristall …«

»Oh, ich weiß, was das war!«, rief James.

»Dasselbe ist mir auch passiert!«, sagte die Käferdame.

»Und mir!«, rief Fräulein Spinne. »Plötzlich waren diese kleinen grünen Dinger überall! Die Erde war voll von ihnen!«

»Ich habe sogar eins verschluckt!«, verkündete der Regenwurm stolz.

»Ich auch!«, sagte die Käferdame.

»Und ich habe drei verschluckt!«, rief der Hundertfuß. »Wer erzählt hier diese Geschichte eigentlich? Unterbrecht mich nicht dauernd!«

»Es ist zu spät, um noch Geschichten zu erzählen«, fiel ihm der Alte Grüne Grashüpfer ins Wort. »Zeit, schlafen zu gehen.«

»Ich weigere mich, in meinen Stiefeln zu schlafen!«, schrie der Hundertfuß. »Wie viele sind's noch, James?«

»Ich glaube, ich habe Ihnen jetzt ungefähr zwanzig ausgezogen«, sagte James.

»Bleiben also noch achtzig«, sagte der Hundertfuß.

»*Zweiundzwanzig*, nicht *achtzig*!«, kreischte der Regenwurm. »Er lügt schon wieder!«

Der Hundertfuß brach in schallendes Gelächter aus.

Die Käferdame schüttelte den Kopf. »Nimm ihn nicht immer auf den Arm«, sagte sie.

Der Hundertfuß konnte sich vor Lachen kaum noch halten. »Ihn auf den *Arm* nehmen!«, schrie er und zeigte auf seine Füße. »Ich könnte ihn höchstens auf eins meiner hundert Beine nehmen, aber auf welches bitte?«

James beschloss, den Hundertfuß zu mögen. Er war ohne Frage ein Aufschneider, aber es war einfach zu schön, zur Abwechslung mal jemanden lachen zu hören. In all der Zeit bei Tante Stumpf und Tante Stiel hatte er sie nicht ein einziges Mal lachen gehört.

»Wir müssen jetzt wirklich schlafen gehen«, sagte der Alte Grüne Grashüpfer. »Wir haben morgen einen anstrengenden Tag vor uns. Also, würden Sie so freundlich sein, Fräulein Spinne, und unsere Betten machen?«

DREIZEHN

Ein paar Minuten später hatte Fräulein Spinne das erste Bett gewebt. Es hing von der Decke und war an jedem Ende mit einem Seil aus feinen Fäden befestigt, sodass es eher wie eine Hängematte aussah. Es war kunstvoll gearbeitet, und das Material, aus dem es gefertigt war, schimmerte wie Seide in dem schwachen Licht.

»Ich hoffe, Sie werden es bequem finden«, sagte Fräulein Spinne zu dem Alten Grünen Grashüpfer. »Ich habe es so weich und seidig wie möglich gemacht. Es ist aus Sommerfäden gesponnen, die sind von noch besserer Qualität als die Fäden, die ich für meine eigenen Netze benutze.«

»Ich danke Ihnen sehr, meine Liebe«, sagte der Alte Grüne Grashüpfer und kletterte in die Hängematte. »Ah, das ist genau das, was ich jetzt gebraucht habe. Gute Nacht, allerseits, gute Nacht.«

Fräulein Spinne spann nun die nächste Hängematte, und die Käferdame krabbelte hinein.

Danach webte sie eine lange Hängematte für den Hundertfuß und eine noch längere für den Regenwurm.

Als James an der Reihe war, fragte sie ihn: »Und du? Wie hättest du gern dein Bett? Hart oder weich?«

»Ich mag es gern weich, vielen Dank«, erwiderte James.

»Himmel! Hör auf, Löcher in die Luft zu starren und mach

weiter mit meinen Stiefeln!«, rief der Hundertfuß. »Bei diesem Tempo kommen wir ja nie ins Bett. Und bitte stell sie ordentlich in Paaren nebeneinander auf, wenn du sie ausziehst. Wirf sie nicht einfach auf den Boden.«

James arbeitete wie besessen. Jeder einzelne Stiefel hatte Schnürsenkel, die aufgeknotet und gelöst werden mussten, bevor man den Stiefel vom Fuß ziehen konnte. Und als wäre das nicht schlimm genug, war jeder einzelne Schnürsenkel auch noch mit den grauenvollsten, kompliziertesten Knoten verschnürt, die man sich nur vorstellen kann. James musste sie mit seinen Fingernägeln aufknibbeln. Es war eine schreckliche Pfriemelei. Das Ganze dauerte gut zwei Stunden. Und als James den letzten Stiefel ausgezogen und sie alle ordentlich zu Paaren aufgereiht hatte – einundzwanzig Paare insgesamt – war der Hundertfuß längst eingeschlafen.

»Wach auf, Hundertfuß«, flüsterte James und knuffte ihn sanft in den Bauch. »Es ist Zeit, ins Bett zu gehen.«

Der Hundertfuß öffnete seine Augen. »Danke dir, mein liebes Kind«, sagte er. Dann krabbelte er vom Sofa und in seine Hängematte. James kletterte in seine eigene – und ach, wie weich und gemütlich sie war verglichen mit den harten, nackten Brettern, auf denen er bei seinen Tanten hatte schlafen müssen.

»Licht aus«, murmelte der Hundertfuß schläfrig.

Nichts geschah.

»Mach das Licht aus!«, rief der Hundertfuß laut. James sah sich um und fragte sich, wen er meinte. Alle anderen waren schon eingeschlafen. Der Alte Grüne Grashüpfer schnarchte. Die Käferdame stieß beim Atmen kleine Pfeiftöne aus und der Regenwurm hatte sich am Ende seiner Hängematte zusammengerollt und keuchte und schnaufte mit offenem Mund. Was Fräulein Spinne betraf, so hatte sie für sich selbst in einer Ecke des Raumes ein hübsches Netz gesponnen. Da hockte sie genau in der Mitte, und James konnte hören, wie sie leise im Schlaf murmelte.

»Ich habe gesagt, Licht aus!«, rief der Hundertfuß wütend.

»Meinst du mich?«, fragte James.

»Natürlich meine ich nicht dich, du Esel!«, antwortete der Hundertfuß. »Dieses verrückte Glühwürmchen ist einfach eingeschlafen und hat das Licht brennen lassen!«

Zum ersten Mal blickte James hoch zur Decke – und da sah er etwas höchst Ungewöhnliches. Eine riesige Fliege ohne Flügel (sie war mindestens einen Meter lang) klebte mit ihren sechs Beinen kopfüber in der Mitte der Decke. Das Schwanzende dieses Geschöpfs schien wortwörtlich in Flammen zu stehen. Ein grellgrünes Licht, so hell wie die hellste Glühbirne, glühte an seinem Ende und beleuchtete den ganzen Raum.

»Ist *das* ein Glühwürmchen?«, fragte James und starrte in das Licht. »Es sieht ja gar nicht aus wie ein Wurm.«

»Natürlich ist das ein Glühwürmchen«, antwortete der Hundertfuß. »Jedenfalls nennt sie sich selbst so. Obwohl du natürlich recht hast. Eigentlich ist sie überhaupt kein Wurm. Glühwürmchen

sind nie Würmer. Sie sind einfach Leuchtkäferdamen ohne Flügel. Wach auf, du faule Socke!«

Doch das Glühwürmchen rührte sich nicht, also beugte sich der Hundertfuß aus der Hängematte, schnappte sich einen der Stiefel vom Boden und schleuderte ihn mit einem »Mach das elende Licht aus!« an die Decke.

Langsam öffnete das Glühwürmchen ein Auge und warf dem Hundertfuß einen verächtlichen Blick zu. »Kein Grund, unhöflich zu werden«, sagte sie kühl. »Alles zu seiner Zeit.«

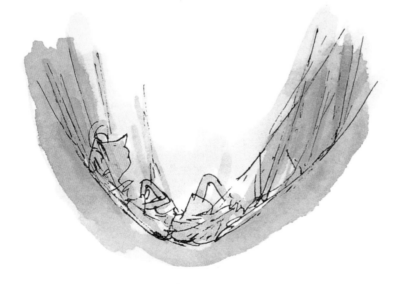

»Mach schon, mach schon, mach schon!«, rief der Hundertfuß. »Sonst komm ich gleich selber hoch!«

»Oh, hallo, James!«, sagte das Glühwürmchen und lächelte und winkte James zu. »Ich hab dich gar nicht reinkommen sehen. Willkommen, lieber Junge, willkommen – und gute Nacht!«

Dann – *klick* – ging das Licht aus.

James Henry Trotter lag mit weit geöffneten Augen in der Dunkelheit, lauschte den merkwürdigen Geräuschen, die die Wesen um ihn herum beim Schlafen machten, und fragte sich, was um alles in der Welt ihn am Morgen erwarten würde. Schon jetzt hatte er seinen neuen Freunde ins Herz geschlossen. Sie waren nicht halb so gruselig, wie sie aussahen. Ehrlich gesagt waren sie überhaupt nicht gruselig. Sie schienen wahnsinnig nett und hilfsbereit, auch wenn sie sich die ganze Zeit stritten.

»Gute Nacht, Alter Grüner Grashüpfer«, flüsterte James. »Gute Nacht, Käferdame – Gute Nacht, Fräulein Spinne –« Doch bevor er alle einmal nennen konnte, war er schon fest eingeschlafen.

VIERZEHN

Es geht los!«, rief jemand. »Endlich geht es los!«

Mit einem Schlag war James wach und blickte sich um. Seine neuen Freunde hatten schon ihre Hängematten verlassen und wuselten aufgeregt hin und her. Plötzlich gab es einen gewaltigen Ruck, wie bei einem Erdbeben.

»Auf geht's!«, rief der Alte Grüne Grashüpfer und hüpfte auf und ab. »Haltet euch fest!«

James sprang aus der Hängematte. »Was ist los?«, rief er. »Was passiert da?«

Die Käferdame, die offensichtlich eine sehr einfühlsame Dame war, kam zu James und stellte sich neben ihn. »Falls du es noch nicht wusstest«, begann sie, »wir sind gerade dabei, uns für immer von diesem schrecklichen Berg zu verabschieden, auf dem wir alle schon viel zu lange gelebt haben. Jeden Moment werden wir uns in diesem großartigen, wunderschönen Riesenpfirsich auf den Weg machen und in ein Land rollen, in dem … in … ein Land, in dem –«

»In dem was?«, fragte James.

»Zerbrich dir darüber nicht den Kopf«, sagte die Käferdame. »Aber nichts kann schlimmer sein als diese trostlose Bergspitze und diese zwei abscheulichen Tanten –«

»Bravo!«, riefen die anderen im Chor. »Bravissimo!«

»Du weißt ja sicher«, fuhr die Käferdame fort, »dass der Garten auf einem steilen Hang liegt. Das Einzige, was diesen Pfirsich daran gehindert hat, jetzt schon fortzurollen, ist der dicke Stängel, mit dem er am Baum hängt. Wenn wir es schaffen, den Stängel durchzutrennen, geht die Reise los.«

»Achtung!«, rief Fräulein Spinne, als es einen zweiten heftigen Ruck gab. »Es ist so weit!«

»Noch nicht ganz! Noch nicht ganz!«

»Gerade jetzt«, fuhr die Käferdame fort, »ist unser Hundertfuß mit seinen rasiermesserscharfen Zähnen oben auf dem Pfirsich und nagt am Stängel. Und so, wie wir hier schaukeln und schlingern, scheint es, als hätte er ihn schon fast durch. Soll ich dich unter meinen Flügel nehmen, damit du nicht umfällst, wenn wir losrollen?«

»Das ist sehr freundlich von Ihnen«, sagte James, »aber ich glaube, das schaffe ich schon allein.«

In diesem Moment steckte der Hundertfuß seinen Kopf durch ein Loch in der Decke. Er grinste. »Ich hab's geschafft! Ab geht die Luzie!«

»Los geht's!«, schrien die anderen. »Los geht's!«

»Die Reise beginnt!«, schrie der Hundertfuß.

»Und wer weiß, wo sie endet«, murmelte der Regenwurm. »Solange *du* was damit zu tun hast, kann es ja nur ein grässlicher Ort sein.«

»Unsinn«, sagte die Käferdame. »Wir werden jetzt an die wunderbarsten Orte reisen und die wunderbarsten Dinge sehen! Nicht wahr, Hundertfuß?«

»Wer weiß schon, was wir sehen werden!«, rief der Hundertfuß.

»Bestimmt sehen wir den elfköpfigen Riesen,
dem tun die Nasen so weh,
der Ärmste muss ständig niesen,
da oben im ewigen Schnee.

Und Tatzelwürmer, giftig und gefleckt,
die verschlingen 'nen Mann mit einem Happs,
fünfe putzen sie schon zum Frühstück weg,
weitere zehn dann noch zum Schnaps.

Drachen werden wir in Fülle sehen,
Einhörner werden sich zu uns gesellen.
Und Monster, denen krumme Zehen
statt Haaren aus den Köpfen quellen.

Und bunte Hühner, prächtig anzuschaun,
perfekte Eier legen sie, doch lass dir raten,
koch diese Eier nicht, denn welch ein Grau'n:
sie explodieren wie Granaten.

Schreckliche Schnucken, schaurige Schnocken
wollen uns in ihre Höhlen locken.
Die schnarrige Schnake dürstet nach Blut,
ihr Stachel durchbohrt dich vom Knie bis zum Hut.

Vielleicht frieren wir fest, werden überrollt von Wellen,
von Lava verschlungen, von Fiebern durchschauert.
Kann sein, dass wir an 'nem Dilemma zerschellen,
das irgendwo schon auf uns lauert.

Aber weg von dem Hügel, egal wohin,
lasst uns rollen, lasst uns tollen, ein herrliches Spiel,
lasst uns holtern und poltern und fahren dahin,
bloß weg von den Tanten, ob Stumpf oder Stiel!«

Eine Sekunde später – langsam, ganz langsam und unglaublich sacht – neigte sich der Pfirsich nach vorn und setzte sich in Bewegung. Der ganze Raum kippte vornüber und die Möbel rutschten über den Boden und krachten in die Wände. Und mit ihnen James, die Käferdame und der Alte Grüne Grashüpfer, Fräulein Spinne, der Regenwurm und auch der Hundertfuß, der schnell noch von der Decke gekrabbelt war.

FÜNFZEHN

Genau in diesem Augenblick hatten Tante Stumpf und Tante Stiel ihre Position vor dem Gartentor eingenommen, jede mit einem Bündel Eintrittskarten in der Hand. In der Ferne konnte man schon die Schar der ersten morgendlichen Besucher erkennen, die langsam den Berg hoch kraxelten, um den Pfirsich zu bestaunen.

»Heute werden wir ein Vermögen machen«, sagte Tante Stiel gerade. »Sieh dir nur diese Massen an!«

»Ich frage mich, was gestern Nacht mit unserem schrecklichen Jungen passiert ist«, sagte Tante Stumpf. »Er ist nicht mehr ins Haus gekommen, oder?«

»Vielleicht ist er in der Dunkelheit gestürzt und hat sich ein Bein gebrochen«, sagte Tante Stiel.

»Oder das Genick«, sagte Tante Stumpf hoffnungsvoll.

»Wart's nur ab, wenn ich den erwische«, sagte Tante Stiel und wedelte mit ihrem Stock. »Wenn ich erst mit ihm fertig bin, wird er es nicht noch einmal wagen, die ganze Nacht draußen zu bleiben. Du lieber Himmel! Was ist das denn für ein grässlicher Lärm?«

Mit einem Ruck drehten sich die beiden Tanten um.

Den Lärm machte natürlich der Riesenpfirsich, der durch den Zaun gekracht war und jetzt durch den Garten rollte, genau auf Tante Stumpf und Tante Stiel zu. Mit jeder Sekunde wurde er schneller und schneller.

Die beiden rissen den Mund auf. Sie schrien laut. Sie rannten los. Sie gerieten in Panik. Sie kamen einander in die Quere. Sie schubsten und rempelten sich an, und jede dachte nur daran, sich selbst zu retten. Tante Stumpf, die Dicke, stolperte über die Kasse für die Eintrittsgelder und fiel auf die Nase. Tante Stiel wiederum stolperte über Tante Stumpf und plumpste auf sie drauf. Beide lagen jetzt auf dem Boden, kratzten und beschimpften sich, kreischten und versuchten verzweifelt, wieder auf die Beine zu kommen. Doch der Riesenpfirsich war schneller und begrub sie mit einem lauten Knirschen unter sich.

Dann herrschte Stille.

Der Pfirsich rollte weiter. Und hinter ihm lagen Tante Stumpf und Tante Stiel platt gebügelt im Gras, so flach und leblos wie zwei Anziehpuppen aus Papier.

SECHZEHN

Der Pfirsich hatte den Garten hinter sich gelassen, war über den Rand des Berges hinaus gerollt und polterte nun mit einem Affenzahn den Steilhang hinab. Dabei wurde er schneller und immer schneller. Die Menschen, die den Berg hochkletterten, sahen plötzlich diese schreckliche Monsterfrucht auf sich zu stürzen, und sie schrien und sprangen nach links und rechts, dem rasenden Pfirsich aus dem Weg.

Am Fuße des Berges angekommen, sauste der Pfirsich über die Straße, riss eine Ampel um und walzte zwei parkende Autos platt.

Dann schoss er über zwanzig Felder, wobei er alle Zäune und Hecken durchbrach, die ihm den Weg versperrten. Er rollte mitten durch eine Herde schöner Jersey-Rinder, dann durch eine Herde Schafe, dann über eine Pferdekoppel, dann durch einen Hühnerstall, dann durch eine Schweinefarm und nach kurzer Zeit herrschte in der Gegend ein Gewimmel und Gewusel von Tieren, die panisch in alle Richtungen durcheinanderliefen.

Der Pfirsich war immer noch in einem ungeheuren Tempo unterwegs, und es schien nicht so, als würde er demnächst langsamer werden. Nach einer weiteren Meile erreichte er ein Städtchen.

Er donnerte die Hauptstraße hinunter, und die Leute sprangen erschrocken zur Seite. Am Ende der Straße krachte der Pfirsich durch die Mauern eines großen Gebäudes und schoss auf der anderen Seite wieder hinaus, wobei er zwei riesige Löcher hinterließ.

Dieses Gebäude war zufällig eine berühmte Schokoladenfabrik und sofort strömte warme, geschmolzene Schokolade aus den Löchern. Eine Minute später ergoss sich dieser braune, klebrige Strom durch alle Straßen des Städtchens, quoll unter jeder Tür hindurch, in die Läden und Gärten. Kinder wateten bis zu ihren Knien in Schokolade, und manche versuchten sogar, darin zu schwimmen, und allesamt schlürften sie in gierigen Schlucken und quietschten vor Freude.

Der Pfirsich rollte ohne anzuhalten durchs Land – weiter und immer weiter und hinterließ eine Spur der Verwüstung. Kuhställe, Scheunen, Schweinekoben, Zäune, Heuballen, kleine Häuschen, alles, was ihm im Weg war, purzelte durcheinander wie Kegel beim Bowling. Einem alten Mann, der ruhig an einem Bach saß, riss der Pfirsich im Vorbeirasen die Angelrute aus der Hand, und an einer Frau namens Daisy Entwistle sauste er so dicht vorbei, dass es ihr die Haut von der Nasenspitze fetzte.

Würde der Riesenpfirsich jemals zum Stehen kommen?

Aber warum sollte er? Ein rundes Objekt wird immer in Bewegung bleiben, solange es bergab geht, und in diesem Teil von England ging es immer weiter bergab bis zum Meer – zu dem Meer, von dem James am Tag zuvor noch seinen Tanten erzählt und darum gebettelt hatte, einmal wieder hinfahren zu dürfen.

Nun, vielleicht würde James das Meer jetzt früher wiedersehen, als er gehofft hatte. Mit jeder Sekunde rollte der Pfirsich näher auf die Küste zu, und immer näher kam er auch den weißen hohen Klippen.

Diese hundert Meter hohen Steilklippen sind die berühmtesten Klippen in ganz England. Unter ihnen brodelt das tiefe, kalte und hungrige Meer. Viele Schiffe wurden an diesem Küstenabschnitt schon von den Wellen verschlungen, und mit ihnen all die Seeleute an Bord.

Der Pfirsich war nur noch hundert Meter von der Klippe entfernt – jetzt nur noch fünfzig – jetzt zwanzig – jetzt zehn – jetzt fünf – und als er schließlich den Rand der Klippe erreichte, machte er einen Satz in die Luft, dort verharrte er ein paar Sekunden, wobei er sich immer noch um sich selbst drehte.

Dann fiel er …

Tiefer …

Tiefer …

Tiefer …

Tiefer …

Tiefer …

KLATSCH! Mit einem kolossalen Platscher landete der Pfirsich im Wasser und ging sofort unter wie ein Stein.

Doch keinen Augenblick später ploppte er wie ein Korken wieder hoch und diesmal blieb er oben und trieb seelenruhig aufs Meer hinaus.

SIEBZEHN

In diesem Moment herrschte im Inneren des Pfirsich ein unbeschreibliches Durcheinander. Mit blauen und grünen Flecken übersät, lag James Henry Trotter auf dem Boden inmitten eines Knäuels aus Hundertfuß und Regenwurm und Spinne und Marienkäfer und Glühwürmchen und Grashüpfer.

Auf der ganzen Welt gibt es wohl niemanden, der jemals eine so schreckliche Reise gemacht hat wie unsere armen Freunde. Lustig war sie gestartet, bei den ersten Bewegungen des Pfirsichs hatten alle noch gelacht und gejuchzt und niemand hatte sich daran gestört, ein wenig hin und her geworfen zu werden. Und als es zum ersten Mal *Bums!* machte und der Hundertfuß rief: »*Das* war Tante Stumpf!«, und noch einmal *Bums!*, und »*Das* war Tante Stiel!«, da waren alle in Jubelschreie ausgebrochen.

Doch kurz darauf wurde die ganze Sache zum Albtraum. Kaum war der Pfirsich aus dem Garten gerollt und auf dem Weg den steilen Abhang hinunter, polterte und stürzte und überschlug er sich. James wurde gegen die Decke geschleudert, dann zurück auf den Boden, dann seitwärts gegen die Wand, dann wieder hoch an die Decke, und hoch und runter und vor und zurück und hin und her. Ebenso schlimm erging es seinen Freunden, die wie er durch die Luft flogen, genau wie die Sessel und das Sofa, ganz zu schweigen von den zweiundvierzig Stiefeln des Hundertfuß. Sie alle wurden durcheinandergerüttelt wie Erbsen in einer riesigen Rassel, die von einem wild gewordenen Riesenbaby unentwegt geschüttelt wird. Und als wäre das nicht schlimm genug, versagte auch noch das Licht des Glühwürmchens, und im Raum war es plötzlich stockfinster. Es wurde geschrien und geflucht und »Aua!« gerufen, und alles drehte sich immer weiter wie auf einem rasenden Karussell. In seiner Verzweiflung griff James nach zwei dicken Stangen, die aus der Wand ragten – nur waren es gar keine Stangen, sondern ein Beinpaar des Hundertfußes.

»Lass los, du Affe!«, rief der Hundertfuß und versetzte James einen Tritt, der James quer durch den Raum und mitten in den pieksigen Schoß des Alten Grünen Grashüpfers schleuderte. Als Nächstes verheddere er sich in den Beinen von Fräulein Spinne (was alles andere als angenehm war), und zu guter Letzt umschlang ihn der arme Regenwurm, der keine Lust mehr hatte, wie eine Peitsche durch die Luft zu knallen. Er ringelte sich fest um James' Bauch und weigerte sich loszulassen.

Ach, was war das nur für eine wilde und furchtbare Fahrt!

Doch nun war sie vorbei und plötzlich herrschte Stille im Raum. Alle versuchten, sich langsam und unter Schmerzen voneinander zu befreien.

»Gibt's hier endlich mal Licht!«, rief der Hundertfuß.

»Ja!«, fielen die anderen ein. »Licht! Mach das Licht an!«

»Ich versuch's ja«, gab das arme Glühwürmchen zurück. »Ich tue, was ich kann. Seid doch nicht so ungeduldig.«

Alle warteten schweigend.

Schließlich flackerte ein schwaches grünliches Licht am Schwanz-

ende des Glühwürmchens auf. Es wurde stärker und heller, bis sie endlich wieder sehen konnten.

»Das war ja mal 'ne tolle Reise!«, sagte der Hundertfuß und humpelte durch den Raum.

»Ich werde nie mehr derselbe sein«, murmelte der Regenwurm.

»Ich auch nicht«, sagte die Käferdame. »Ich fühle mich um Jahre gealtert.«

»Aber meine lieben Freunde!«, rief der Alte Grüne Grashüpfer und versuchte, fröhlich zu klingen. »Wir sind *da*!«

»Wo?«, fragten die anderen. »Wo? Wo ist *da*?«

»Das weiß ich nicht«, sagte der Alte Grüne Grashüpfer. »Aber ich bin mir sicher, es wird großartig sein.«

»Wir sind wahrscheinlich am Grund eines Bergwerks«, verkündete der Regenwurm düster. »Wir sind tiefer und tiefer gefallen, ich hab's in der Magengrube gespürt. Ich spür's jetzt noch.«

»Aber vielleicht sind wir auch in einem wunderschönen Land voller Lieder und Musik«, sagte der Alte Grüne Grashüpfer.

»Oder am Strand!«, rief James aufgeregt. »Und da draußen sind ganz viele andere Kinder, mit denen ich spielen kann!«

Die Käferdame wurde blass. »Entschuldigt bitte«, murmelte sie, »aber habt ihr nicht auch das Gefühl, als ob wir auf und ab schaukeln?«

»*Schaukeln*!«, riefen die anderen. »Was um alles in der Welt soll das heißen?«

»Ihnen ist bloß noch schwindlig von der Reise«, erwiderte der Alte Grüne Grashüpfer. »Das geht vorbei. Seid ihr bereit, nach oben zu gehen und mal nachzuschauen, wo wir sind?«

»Ja! Ja!«, riefen alle im Chor. »Los, lasst uns gehen.«

»Ich denke nicht daran, mich barfuß in die Öffentlichkeit zu begeben. Zuerst muss ich meine Stiefel anziehen.«

»Ach, du lieber Himmel, nicht schon wieder dieser Stiefelquatsch!«, rief der Regenwurm.

»Bringen wir es hinter uns und helfen alle zusammen dem Hundertfuß«, schlug die Käferdame vor. »Kommt schon.«

Und das taten sie. Alle, bis auf Fräulein Spinne, die sich daran machte, eine lange Strickleiter zu spinnen, die vom Boden bis zu einem Loch in der Decke reichte. Der Alte Grüne Grashüpfer hatte

in weiser Voraussicht vorgeschlagen, nicht den alten Seiteneingang zu benutzen, solange keiner wusste, wo genau sie waren. Er meinte, es wäre besser, sich zuerst auf die Spitze des Pfirsichs zu begeben, um sich einen Überblick zu verschaffen.

Eine halbe Stunde später war die Strickleiter fertig und baumelte von der Decke und der zweiundvierzigste Fuß des Hundertfuß steckte in einem ordentlich geschnürten Stiefel. Alle waren bereit, nach draußen zu gehen.

Mit wachsender Begeisterung und unter Rufen wie: »Auf geht's, Leute! Kann gar nicht erwarten, das gelobte Land zu sehen«, kletterten die Freunde einer nach dem anderen die Strickleiter hoch und verschwanden in einem dunklen, feuchten Tunnel in der Decke, der fast senkrecht nach oben führte.

ACHTZEHN

Eine Minute später standen unsere Freunde im Freien, oben auf der Kuppe des Pfirsichs, direkt neben dem Stiel. Sie blinzelten im grellen Sonnenlicht und schauten sich erwartungsvoll um.

»Was ist passiert?«

»Wo sind wir?«

»Das ist doch nicht möglich!«

»Unglaublich!«

»Schrecklich!«

»Hab ich's nicht gesagt, dass wir auf und ab schaukeln?«, rief die Käferdame.

»Wir sind mitten auf dem Ozean!«, schrie James.

Und das waren sie in der Tat. Die starke Strömung und eine steife Brise hatten den Pfirsich so schnell von der Küste fortgetrieben, dass weit und breit kein Land mehr in Sicht war. Sie waren umgeben von einem schwarzen, tiefen, hungrigen Meer. Kleine Wellen nagten an allen Seiten des Pfirsichs.

»Wie konnte das passieren?«, schrien sie durcheinander. »Wo sind die Felder? Wo sind die Wälder? Wo ist England?« Niemand, nicht einmal James, verstand, wie um alles in der Welt sie hier gelandet waren.

»Meine Damen und Herren«, begann der Alte Grüne Grashüpfer,

wobei er versuchte, sich seine Angst und Enttäuschung nicht anmerken zu lassen. »Ich befürchte, wir befinden uns in einer ziemlich unkomfortablen Situation.«

»Unkomfortabel?«, spuckte der Regenwurm. »Mein lieber alter Grashüpfer, wir sind erledigt! Wir werden alle miteinander draufgehen. Ich bin vielleicht blind, aber so viel kann sogar ich sehen.«

»Zieht mir die Stiefel aus!«, rief der Hundertfuß. »Ich kann mit den Stiefeln nicht schwimmen.«

»Und ich kann überhaupt nicht schwimmen!«, kreischte die Käferdame.

»Und ich schon gar nicht«, jammerte das Glühwürmchen.

»Ich auch nicht«, sagte Fräulein Spinne. »Keins von uns drei Mädels kann auch nur einen Schwimmzug machen.«

»Aber ihr müsst ja auch gar nicht schwimmen«, sagte James ruhig. »Wir treiben hier doch ganz friedlich vor uns hin. Früher oder später wird schon ein Schiff vorbeikommen und uns aufnehmen.«

Die anderen starrten ihn erstaunt an.

»Bist du sicher, dass wir nicht gerade untergehen?«, fragte die Käferdame.

»Natürlich bin ich mir sicher«, erwiderte James. »Geht doch und schaut nach.«

Alle liefen zur anderen Seite des Pfirsichs und spähten hinunter.

»Der Junge hat recht«, sagte der Alte Grüne Grashüpfer. »Wir treiben friedlich vor uns hin. Wir sollten es uns jetzt bequem machen und Ruhe bewahren. Am Ende wird alles gut.«

»Was redest du da für einen Blödsinn!«, schrie der Regenwurm. »Nichts wird am Ende gut, das weißt du genau!«

»Armer Regenwurm«, flüsterte die Käferdame James ins Ohr.

»Aus allem muss er ein Drama machen. Er erträgt es einfach nicht, glücklich zu sein. Er ist nur zufrieden, wenn er Trübsal blasen kann. Ist das nicht seltsam? Aber ich denke mal, ein Regenwurm zu sein ist allein schon Grund genug für Trübsinn. Findest du nicht?«

»Selbst wenn dieser Pfirsich nicht sinken sollte«, sprach der Regenwurm weiter, »und wir nicht untergehen, dann wird stattdessen jeder Einzelne von uns verhungern. Ist euch eigentlich klar, dass wir seit gestern früh nichts zu essen hatten?«

»Himmel, er hat recht!«, schrie der Hundertfuß. »Zum ersten Mal hat der Regenwurm recht!«

»Natürlich hab ich recht«, sagte der Regenwurm. »Und es ist sehr unwahrscheinlich, dass wir hier irgendetwas finden werden. Wir werden dünn und dünner und durstig und durstiger werden und einen langsamen, grausamen Hungertod sterben. Ich bin schon dabei zu sterben. Vor lauter Hunger schrumple ich langsam ein. Ich persönlich würde lieber ertrinken. «

»So ein Quatsch«, sagte James. »Bist du blind?«

»Du weißt ganz genau, dass ich blind bin«, erwiderte der Regenwurm gekränkt. »Du musst mir nicht noch Salz in die Wunde streuen.«

»Das meinte ich nicht so«, sagte James schnell. »Entschuldige bitte. Aber kannst du nicht sehen, dass –«

»Sehen?«, rief der arme Regenwurm. »Wie soll ich etwas sehen, wenn ich doch blind bin?«

James holte tief Luft. »Aber begreifst du denn nicht«, sagte er geduldig, »dass wir hier genug Essen für die nächsten Wochen haben?«

»Wo?«, riefen alle. »Wo?«

»Na, im Pfirsich natürlich. Unser ganzes Schiff ist schließlich essbar.«

»Donnerwetter!«, riefen die anderen. »Daran haben wir ja gar nicht gedacht.«

»Mein lieber James«, sagte der Alte Grüne Grashüpfer und legte James ein Vorderbein um die Schulter. »Ich weiß nicht, was wir ohne dich tun würden. Du bist so klug. Meine Damen und Herren – wir wurden schon wieder gerettet!«

»Von wegen gerettet!«, spuckte der Regenwurm. »Ihr müsst

verrückt sein. Ihr könnt doch nicht das Schiff essen. Es hält uns schließlich über Wasser.«

»Aber wir verhungern, wenn wir nichts essen!«, rief der Hundertfuß.

»Und wir ertrinken, wenn wir es doch tun!«, schrie der Regenwurm.

»Oje, oje«, sagte der Alte Grüne Grashüpfer. »Jetzt sind wir schlimmer dran als vorher.«

»Könnten wir nicht wenigstens ein bisschen naschen?«, fragte Fräulein Spinne. »Ich hab solchen Hunger!«

»Ihr könnt so viel essen, wie ihr wollt«, sagte James. »Es würde ewig dauern, bis wir auch nur einen kleinen Teil des riesigen Pfirsichs aufgegessen hätten. Seht ihr das denn nicht?«

»Grundgütiger, er hat schon wieder recht!«, rief der Alte Grüne Grashüpfer und klatschte begeistert. »Es würde ewig dauern! Natürlich würde es das! Aber nicht, dass der Pfirsich am Ende voller Löcher ist. Ich denke, wir sollten in dem Tunnel anfangen, den wir gerade hochgekommen sind.«

»Eine ausgezeichnete Idee«, sagte die Käferdame.

»Was passt dir denn jetzt schon wieder nicht, Regenwurm?«, fragte der Hundertfuß. »Was ist das Problem?«

»Das Problem ist …«, begann der Regenwurm. »Das Problem ist … na, das Problem ist, dass es jetzt kein Problem mehr gibt.«

Alle brachen in Gelächter aus. »Kopf hoch, Regenwurm«, sagten sie. »Komm und iss!«

Und die Freunde machten sich auf zum Eingang des Tunnels und genehmigten sich große Stücke von dem saftigen goldgelben Pfirsichfleisch.

»Hm, sensationell!«, schmatzte der Hundertfuß und stopfte sich den Mund voll.

»Sehr delikat!«, sagte der Alte Grüne Grashüpfer.

»Einfach traumhaft«, schwärmte das Glühwürmchen.

»Ach«, seufzte die Käferdame. »Was für ein herrlicher Geschmack.« Sie lächelte James an und James lächelte zurück. Sie setzten sich nebeneinander und genossen ihr köstliches Pfirsichmahl. »Weißt du, James«, sagte die Käferdame. »Bis heute hab ich nichts anderes gegessen als diese kleinen grünen Blattläuse, die auf den Rosen sitzen. Sie schmecken wirklich gut, aber dieser Pfirsich ist sogar noch besser.«

Fräulein Spinne hockte sich zu ihnen. »Ist es nicht wunderbar«?, fragte sie. »Ich persönlich habe ja immer geglaubt, dass eine dicke, saftige, frisch im Netz gefangene Schmeißfliege das Leckerste auf der Welt ist, bis ich das hier probiert habe.«

»Was für ein Geschmack!«, rief nun der Hundertfuß. »Einfach unglaublich. Es gibt nichts Vergleichbares und hat es auch nie gegeben. Und ich muss es wissen, denn ich habe schon die erlesensten Speisen der Welt probiert.« Und während ihm der Pfirsichsaft über das Kinn lief, stimmte er mit vollem Mund ein Lied an:

»Was aß ich einst für leck're Gerichte,
von denen ich euch nur zu gern berichte,
man achte auf den Reim:
Grillengelee, Kakerlakenkaffee mit Ohrenkneiferschleim
und aus der Küche als ein Gruß
kam Mäusemus bestäubt mit Ruß,
wie herrlich satt ging ich dann heim.

Schlemmte Schlammburgermenü à la haute cuisine,
das köstlichste der Welt, wie mir seinerzeit schien.
Stinkwanzenwurst zum schnellen Verzehr
mit Hornissen in Teer, die liebe ich sehr.
Und Käfer im Glas, die ess ich
am liebsten mit einem Schuss Essig.

Verrückt bin ich nach Wespenstich mit süßer Butterkrem,
Auch Stachelschweinnadeln in Wein sind äußerst angenehm.
Drachenfleisch, gut abgehangen (bloß nicht frisch!),
das kommt per Post auf meinen Tisch,
für kleines Geld, ganz ohne Problem.

Zu jeder Feier gab's Ameiseneier, als Beilage sehr lecker.
Schneckenragout mit Curry, das machte viel Geklecker.
Vom Gürteltier die Schuppen, vom Schmetterling die Puppen,
gehackten Knilch in Kokosmilch, pochierten Po vom Känguroh
(da war mein Magen gar nicht froh)

Nichts Schön'res als würzige Oktopus-Arme zum Tee,
und besser als Bratwurst ist gesottener Frosch in Gelee.
Und ganz ehrlich: Ich sterbe
für'n Teller ölgetränkter Erde
– und der ist noch gratis, soweit ich seh!

Zum Geburtstag würde mich dies' Mahl ergötzen:
Scharfe Nudel vom Pudel mit Gartenschlauch-Fetzen,
die mir am besten gefallen,
mit Soße aus Kragenbär-Krallen.
(Ihr Geruch jedoch ist zum Entsetzen.)

Doch komm ich zu meiner Rede Schluss,
weil ich euch etwas sagen muss:
All diese Speisen, so herrlich sie sind,
ich schlag sie mit Freude sogleich in den Wind.
Vom magischen Pfirsich ein kleines Stück
schenkt mir das allergrößte Glück.
Gebt mir von dieser Frucht zu essen
und andere Speisen sind vergessen.«

Alle waren nun glücklich. Hell schien die Sonne aus einem licht-
blauen Himmel und es regte sich kein Lüftchen. Wie eine große
goldene Kugel glitt der Riesenpfirsich über das silbrig glänzende
Meer.

NEUNZEHN

Seht nur!«, rief der Hundertfuß, als sie gerade ihr Mahl beendet hatten. »Was sind das da für ulkige schwarze Dinger auf dem Wasser?«

Alle drehten sich zu ihm um und schauten aufs Meer.

»Es gibt zwei davon«, stellte Fräulein Spinne fest.

»Es gibt *viele* davon«, sagte die Käferdame.

»Aber wer sind sie?«, fragte der Regenwurm beunruhigt.

»Vielleicht sind es ja Fische«, überlegte der Alte Grüne Grashüpfer. »Und sie sind vorbeigekommen, um Guten Tag zu sagen.«

»Fische? Das sind bestimmt Haie!«, schrie der Regenwurm. »Ich wette mit euch um alles, was ihr wollt, das sind Haie, und sie sind gekommen, um uns zu fressen!«

»Dummes Zeug!«, erwiderte der Hundertfuß, doch seine Stimme zitterte ein wenig und das Lachen war ihm vergangen.

»Ich bin mir sicher, dass es Haie sind!«, rief der Regenwurm. »Ich weiß, dass es Haie sind!«

Und das wussten die anderen jetzt auch, aber sie trauten sich nicht, es zuzugeben.

Einen Moment lang sagte keiner etwas. Ängstlich schauten sie aufs Wasser, wo die Haie den Pfirsich langsam umrundeten.

»Mal angenommen, es sind wirklich Haie«, sagte der Hundert-

fuß nach einer Weile. »Hier oben kann uns doch nichts passieren.«

Noch während er sprach, wechselte eine dieser schmalen schwarzen Rückenflossen plötzlich die Richtung, schnitt durch die Wellen und steuerte geradewegs auf den Pfirsich zu. Der Hai hielt inne und starrte mit kleinen bösen Augen zu den Freunden hoch.

»Hau ab!«, riefen die. »Hau ab, du ekelhaftes Vieh!«

Langsam, fast träge, klappte der Hai sein Maul auf (es war so groß, dass ein Kinderwagen hineingepasst hätte) und schnappte nach dem Pfirsich.

Entsetzt sahen ihm die Freunde dabei zu.

Als hätten sie nur auf dieses Zeichen gewartet, kamen nun auch die anderen Haie herbeigeschwommen, versammelten sich um den Pfirsich und attackierten ihn.

Es mussten mindestens zwanzig oder dreißig Haie sein, und sie stießen sich gegenseitig und schlugen mit ihren Schwanzflossen und wühlten das Meer auf.

Auf dem Pfirsich brach Panik aus und alle schrien durcheinander.

»Jetzt ist es aus mit uns!«, kreischte Fräulein Spinne und rang ihre Beine. »Sie werden den ganzen Pfirsich fressen, es wird nichts von ihm übrig bleiben und dann sind wir dran!«

»Sie hat recht!«, rief die Käferdame. »Wir sind verloren!«

»Ich will aber nicht gefressen werden!«, jammerte der Regenwurm. »Aber bestimmt werden sie sich als Erstes über mich hermachen, weil ich so dick und saftig bin und keine Knochen habe!«

»Können wir denn gar nichts tun?«, fragte die Käferdame und schaute James an. »Dir fällt doch sicher etwas ein.«

»Denk nach!«, flehte Fräulein Spinne. »Denk nach, James, denk nach!«

»Jetzt komm schon«, sagte der Hundertfuß. »Komm schon, James. Es muss doch irgendwas geben, das wir tun können.«

Alle Augen richteten sich nun auf den kleinen Jungen, gespannt, ängstlich und doch voller Hoffnung.

ZWANZIG

Es gibt etwas, das wir versuchen könnten«, begann James vorsichtig, »aber ich kann nicht versprechen, dass es klappt …«

»Sag's uns!«, schrie der Regenwurm. »Sag's uns schnell!«

»Wir versuchen alles!«, rief der Hundertfuß. »Aber beeil dich.«

»Jetzt seid doch mal still und lasst den Jungen zu Wort kommen«, sagte die Käferdame. »Sprich weiter, James.«

Alle rückten sie ein wenig näher an ihn heran und warteten gespannt auf das, was James sagen würde.

»Na los!«, riefen sie in höchster Not. »Nun sag schon!«

Und während sie auf James' Antwort warteten, hörten sie, wie unter ihnen die Haie das Wasser peitschten. Das allein reichte schon, um sie verzweifeln zu lassen.

»Komm schon, James«, wiederholte die Käferdame beschwörend.

James schüttelte den Kopf. »Ich … ich … ich glaube, es ist doch keine gute Idee«, murmelte er. »Es tut mir so leid. Ich hab nicht dran gedacht, dass wir keine Seile haben. Wir bräuchten Hunderte Meter davon, damit es funktioniert.«

»Was für eine Art Seil?«, fragte der Alte Grüne Grashüpfer scharf.

»Egal, Hauptsache, es ist stark und reißfest.«

»Aber lieber Junge, genau das haben wir doch. Wir haben alles, was du brauchst.«

»Wie? Wo?«

»Die Seidenraupe!«, rief der Alte Grüne Grashüpfer. »Hast du die Seidenraupe noch nicht bemerkt? Sie ist immer noch unten im Kern. Sie bewegt sich nie. Sie liegt einfach nur da und schläft. Aber wir wecken sie auf und lassen sie spinnen.«

»Und was ist mit mir, wenn ich fragen darf?«, sagte Fräulein Spinne spitz. »Ich kann mindestens genauso gut spinnen wie eine Seidenraupe. Noch dazu kann ich Muster weben.«

»Schafft ihr es zusammen, ganz viele Seile zu spinnen?«, fragte James.

»So viele du willst.«

»Und auch schnell?«

»Aber natürlich!«

»Und sind sie auch stark?«

»Die stärksten, die es gibt. So dick wie deine Finger. Aber wozu? Was hast du vor?«

»Ich habe vor, den Pfirsich aus dem Wasser zu heben«, verkündete James entschlossen.

»Du musst verrückt sein!«, rief der Regenwurm.

»Das ist unsere einzige Chance.«

»Der Junge hat den Verstand verloren.«

»Er verkohlt uns.«

»Sprich weiter, James«, sagte die Käferdame freundlich. »Wie willst du das anstellen?«

»Wahrscheinlich will er Haken in die Wolken schlagen!«, spottete der Hundertfuß.

»Möwen«, gab James ruhig zurück. »Es gibt hier jede Menge davon. Schaut nur hoch.«

Alle blickten nach oben und sahen einen riesigen Möwenschwarm am Himmel kreisen.

»Ich nehme eine lange Seidenschnur«, erklärte James. »Ein Ende werde ich um den Hals einer Möwe binden, das andere am Stiel festmachen.« Dabei zeigte er auf den Pfirsichstiel, der wie ein kleiner dicker Mast aus der Mitte ihres Pfirsichs ragte.

»Dasselbe tue ich mit einer zweiten Möwe, einer dritten und so weiter …«

»Lächerlich!«, riefen seine Freunde.

»Dummes Geplapper!«

»So ein Humbug!«

»Mumpitz!«

»Alles Quatsch!«

Und der Alte Grüne Grashüpfer sagte: »Wie kann eine Handvoll Möwen so ein gigantisches Ding wie diesen Pfirsich in die Luft heben und uns alle noch dazu? Wir bräuchten Hunderte, ach was, Tausende …«

»Es sind doch jede Menge Möwen da«, erwiderte James. »Guckt doch selbst. Wahrscheinlich brauchen wir vierhundert, fünfhundert, sechshundert … vielleicht sogar tausend oder noch mehr Möwen … keine Ahnung … ich werde einfach eine nach der anderen am Stiel festbinden, solange, bis wir in die Luft gehen. Irgendwann müssen sie uns ja hochheben. Es ist wie mit Luftballons. Wenn man jemandem viele Luftballons in die Hand drückt, ich meine, wirklich sehr viele, dann wird er irgendwann in die Luft steigen. Und eine Möwe hat doch viel mehr Kraft als ein Luftballon. Ach, wenn wir doch nur mehr Zeit hätten! Wenn uns die Haie nur nicht vorher erwischen!«

»Du hast ja wohl nicht mehr alle Tassen im Schrank«, sagte der Regenwurm.

»Wie um alles in der Welt willst du eine Schnur um den Hals einer Möwe binden? Willst du etwa selbst hochfliegen und eine fangen?«

»Der Junge ist plemplem«, sagte der Hundertfuß.

»Lasst ihn doch ausreden«, bat die Käferdame. »Sprich weiter, James. Wie willst du es denn machen?«

»Mit einem Köder.«

»Köder? Was für ein Köder?«

»Na, mit einem Wurm natürlich. Möwen lieben Würmer, wusstet ihr das nicht? Und praktischerweise haben wir den größten, dicksten, rosigsten und saftigsten Regenwurm der Welt hier bei uns.«

»Sprich bloß nicht weiter!«, schnappte der Regenwurm. »Was zu viel ist, ist zu viel.«

Doch das Interesse der anderen war nun geweckt. »Sprich weiter! Sprich weiter!«

»Die Möwen haben den Regenwurm schon entdeckt«, fuhr James fort. »Deswegen sind ja so viele über uns. Aber sie werden sich nicht trauen herunterzukommen, um sich ihn zu schnappen, solange wir hier oben sind. Also müssen wir –«

»Halt!«, schrie der Regenwurm. »Halt! Halt! Halt! Kommt nicht infrage! Ich weigere mich! Ich … ich … ich … ich …«

»Halt die Klappe«, sagte der Hundertfuß. »Kümmere dich um deine eigenen Angelegenheiten.«

»Das tue ich ja gerade!«

»Mein lieber Regenwurm, du wirst sowieso gefressen, was für einen Unterschied macht es, ob von den Möwen oder von den Haien?«

»Ich bin aber dagegen!«

»Warum lassen wir James denn nicht erst einmal seinen Plan zu Ende erklären?«, fragte der Alte Grüne Grashüpfer.

»Es ist mir piepegal, was für ein Plan das ist!«, schrie der Regenwurm. »Ich werde mich nicht von einer Horde Möwen zu Tode picken lassen.«

»Aber du wirst den Heldentod sterben«, sagte der Hundertfuß. »Mein Leben lang werde ich voller Hochachtung an dich denken.«

»Das werde ich auch«, sagte Fräulein Spinne. »Dein Name wird in allen Zeitungen stehen. Regenwurm opfert sich für seine Freunde …«

»Aber er muss sich doch gar nicht opfern«, warf James ein. »Jetzt hört mir doch mal zu. Wir machen es nämlich so …«

EINUNDZWANZIG

Aber das ja brillant!«, rief der Alte Grüne Grashüpfer, nachdem James seinen Plan erläutert hatte.

»Der Junge ist ein Genie!«, verkündete der Hundertfuß. »Jetzt kann ich meine Stiefel ja doch anbehalten.«

»Ach, ich werde zu Tode gepickt!«, jammerte der arme Regenwurm.

»Das wirst du natürlich nicht.«

»Und wie ich das werde, ich weiß es! Und ich seh die Möwen noch nicht mal, wenn sie sich auf mich stürzen, weil ich ja keine Augen hab!«

James ging zum Regenwurm und legte liebevoll den Arm um ihn. »Ich lasse nicht zu, dass sie dich auch nur berühren«, sagte er. »Das verspreche ich dir. Aber wir müssen uns beeilen! Schaut mal nach unten.«

Immer mehr Haie umkreisten nun den Pfirsich und wühlten das Wasser auf. Es mussten mindestens neunzig oder hundert sein. Und den Reisenden hoch oben kam es so vor, als sinke der Pfirsich tiefer und tiefer ins Meer.

»Gefechtsstation!«, schrie James. »Marsch! Es gibt keine Zeit zu verlieren!« Er war nun der Kapitän und alle wussten es. Sie würden seinen Befehlen bedingungslos gehorchen.

»Alle unter Deck, bis auf den Regenwurm«, ordnete James an.

»Ja! Ja!«, riefen die Freunde eifrig und beeilten sich, in den Tunnel zu kriechen. »Kommt! Schnell!«

»Und du, Hundertfuß!«, rief James. »Spring runter und bring die Seidenraupe dazu, dass sie sich sofort ans Werk macht! Sag ihr, sie soll spinnen wie noch nie zuvor. Es geht um Leben und Tod! Und das gilt auch für dich, Fräulein Spinne. Runter mit dir! Los, mach dich an die Arbeit!«

ZWEIUNDZWANZIG

In kürzester Zeit hatten alle ihre Posten eingenommen. Oben auf dem Pfirsich herrschte Ruhe. Niemand war zu sehen. Niemand – bis auf den Regenwurm.

Seine eine Hälfte lag wie eine große, dicke, saftige rosa Wurst unschuldig in der Sonne, gut sichtbar für die Möwen. Die andere Hälfte baumelte in den Tunnel hinab. James kauerte im Eingang des Tunnels, sodass man ihn nicht sehen konnte, und wartete auf die erste Möwe. Er hatte ein Bündel Seidenschnüre in der Hand. Der Alte Grüne Grashüpfer und die Käferdame hockten weiter unten im Tunnel und hielten das Ende des Regenwurms fest, um ihn aus der Gefahrenzone zu ziehen, sobald James es befahl.

Und noch tiefer unten im Inneren des Pfirsichkerns beleuchtete das Glühwürmchen den Raum, sodass die Seidenraupe und Fräulein Spinne genug Licht für ihre Arbeit hatten. Auch der Hundertfuß war dort und trieb die beiden wie verrückt an, schneller zu spinnen. Ab und zu hörte ihn James aus der Tiefe rufen: »Spinn, Seidenraupe, spinn, du dicke, faule Riesenmade! Schneller, schneller, oder wir werfen dich den Haien zum Fraß vor!«

»Die erste Möwe ist im Anflug!«, flüsterte James. »Bleib ganz ruhig, Regenwurm. Ganz ruhig. Und ihr anderen bereitet euch darauf vor, ihn rechtzeitig runterzuziehen.«

»Bitte …«, flehte der Regenwurm. »Bitte lass nicht zu, dass sie mir etwas tun.«

»Keine Angst, keine Angst, schhhh …«

Aus dem Augenwinkel sah James, wie die Möwe auf den Regenwurm zuflog. Und plötzlich war sie so nah, dass er ihre kleinen schwarzen Augen erblickte, den krummen Schnabel, und dieser Schnabel war geöffnet in Erwartung, gleich ein leckeres Stück Fleisch aus dem Rücken des Regenwurms zu picken.

»Zieht!«, schrie James.

Der Alte Grüne Grashüpfer und die Käferdame zogen mit aller Kraft am unteren Ende des Regenwurms, und wie durch Zauberei verschwand er im Tunnel. Im gleichen Augenblick schnellte James' Hand nach vorn und die Möwe flog direkt in die Schlaufe der Seidenschnur, die er ihr hinhielt. Diese Schlinge war so raffiniert, dass sie sich fest um den Hals der Möwe legte, aber nicht zu fest. Die Möwe war gefangen.

»Hurra!«, jubelte der Alte Grüne Grashüpfer und spähte aus dem Tunnel. »Gut gemacht, James!«

Die Möwe flog hoch und James ließ Schnur nach, so lange, bis fünfzig Meter erreicht waren, dann band er die Schnur am Stiel des Pfirsichs fest.

»Die nächste!«, rief James und hüpfte zurück in sein Versteck. »Hoch mit dir, Regenwurm! Und du, Hundertfuß, bring mir mehr Schnüre!«

»Oh nein, das gefällt mir überhaupt nicht«, jammerte der Regenwurm. »Sie hätte mich um ein Haar erwischt. Ich hab genau gespürt, wie mich ihre Schwingen streiften, als sie vorbeiflog.«

»Schhh«, flüsterte James. »Bleib ruhig! Die nächste kommt.«

Und so machten sie es noch einmal.

Und noch einmal und noch einmal und noch einmal.

Immer wieder flogen neue Möwen herbei, und James fing eine nach der anderen und band sie am Stiel des Pfirsichs fest.

»Einhundert Möwen!«, rief er und wischte sich den Schweiß von der Stirn.

»Weiter, James!«, feuerten ihn seine Freunde an. »Mach weiter!«

»Zweihundert Möwen!«

»Dreihundert Möwen!«

»Vierhundert Möwen!«

Als ob sie ahnten, dass ihnen ihre Beute entrissen werden sollte, bedrängten die Haie wütender denn je den Pfirsich, und der versank tiefer und tiefer im Wasser.

»Fünfhundert Möwen!«, rief James.

»Die Seidenraupe sagt, sie hätte keine Seide mehr!«, kreischte der Hundertfuß von unten. »Sie meint, sie kann nicht mehr. Und Fräulein Spinne auch nicht!«

»Dann sag ihnen, sie müssen!«, erwiderte James. »Sie können nicht einfach aufhören!«

»Wir steigen auf!«, rief plötzlich jemand.

»Nein, tun wir nicht!«

»Ich fühl es aber!«

»Schnell, noch eine Möwe, James!«

»Seid doch mal alle still! Ruhe! Hier kommt die nächste.«

Das war die fünfhundertunderste Möwe, und als James sie wie all die anderen gefangen und festgebunden hatte, da erhob sich der riesige Pfirsich langsam aus dem Wasser.

»Schaut doch nur! Los geht's! Haltet euch gut fest, Leute!«

Doch dann war Schluss.

Und da hing der Pfirsich.

Er schwebte, er schwankte, aber er stieg nicht höher. Seine Unterseite berührte immer noch die Wasseroberfläche. Wie eine äußerst empfindliche Waage, die sich durch den kleinsten Stupser mal zur einen, mal zur anderen Seite neigt.

»Nur noch eine!«, rief der Alte Grüne Grashüpfer und lugte aus dem Tunnel. »Wir haben's fast geschafft!«

Und dann war es so weit. Schnell war die fünfhundertundzweite Möwe gefangen und die Schnur am Pfirsichstiel befestigt …

Und dann auf einmal …

Aber ganz langsam …

Majestätisch …

Wie eine Art märchenhafter goldener Ballon …

Mit all den Möwen, die an den seidenen Schnüren zogen, erhob sich der Riesenpfirsich aus dem Meer und stieg auf in Richtung Himmel.

DREIUNDZWANZIG

Im Nu waren alle wieder an Deck.

»Ach, ist das nicht herrlich!«, riefen sie.

»Was für ein unbeschreibliches Gefühl!«

»Adieu, ihr Haie!«

»Junge, Junge, das nenne ich Reisen!«

Fräulein Spinne quietschte vor Freude, griff den Hundertfuß um die Hüfte, und die beiden walzten um den Pfirsichstiel herum. Der Regenwurm hatte sich aufgerichtet und vollführte ganz allein einen Freudentanz. Der Alte Grüne Grashüpfer sprang hoch und immer höher in die Luft. Die Käferdame eilte zu James und schüttelte ihm die Hand. Das Glühwürmchen, das für gewöhnlich still und zurückhaltend war, leuchtete am Tunneleingang vergnügt vor sich hin. Und sogar die Seidenraupe, weiß und dünn und ganz erschöpft, kam aus dem Tunnel gekrochen, um diesen wunderbaren Aufstieg mitanzusehen.

Hoch und immer höher ging es, und bald schon schwebten sie eine Kirchturmlänge über dem Ozean.

»Ich mache mir etwas Sorgen um den Pfirsich«, sagte James, nachdem die anderen mit Tanzen und Jubeln fertig waren. »Ich frage mich, wie viel Schaden die Haie da unten angerichtet haben. Von hier oben kann man es nicht erkennen.«

»Ich kann doch eben mal an der Seite runterkrabbeln und die Lage inspizieren«, sagte Fräulein Spinne. »Das ist eine Kleinigkeit für mich.« Und ohne eine Antwort abzuwarten, spann sie schon wieder einen Faden und befestigte ein Ende davon am Pfirsichstiel.

»Bin gleich wieder da«, sagte sie. Dann ging sie seelenruhig zum Rand des Pfirsichs und hüpfte hinunter, wobei sie den Faden hinter sich abrollen ließ.

Ängstlich versammelten sich die anderen an der Stelle, von der Fräulein Spinne sich in die Tiefe gestürzt hatte.

»Wäre es nicht furchtbar, wenn die Schnur reißen würde?«, fragte die Käferdame.

Eine ganze Weile herrschte Stille.

»Geht es Ihnen gut, Fräulein Spinne?«, rief der Alte Grüne Grashüpfer.

»Ja, vielen Dank!«, ertönte ihre Stimme von weit unten. »Ich komme jetzt wieder rauf!« Und das tat sie, Stück für Stück kletterte sie an dem seidenen Faden nach oben, den sie gleichzeitig zusammenrollte und in ihrem Körper verschwinden ließ.

»Ist es *schrecklich*?«, fragten sie die anderen. »Ist alles aufgefressen? Sind überall riesige Löcher im Pfirsich?«

Fräulein Spinne kletterte zurück an Deck und sah zufrieden und verwirrt zugleich aus. »Ihr werdet es nicht glauben«, sagte sie, »aber da unten ist eigentlich alles in Ordnung. Der Pfirsich ist fast unberührt! Es gibt hier und da ein paar kleine Kratzer, aber das ist alles.«

»Du musst dich irren«, sagte James.

»Natürlich irrt sie sich!«, sagte der Hundertfuß.

»Ich versichere euch, es ist so«, widersprach Fräulein Spinne.

»Aber da waren Hunderte von Haien um uns herum!«

»Sie haben das Wasser aufgewühlt!«

»Wir haben gesehen, wie ihre riesigen Mäuler auf und zu gingen!«

»Es ist mir egal, was ihr gesehen habt«, gab Fräulein Spinne zurück. »Dem Pfirsich haben sie jedenfalls keinen Schaden zugefügt.«

»Warum sind wir dann gesunken?«, fragte der Hundertfuß.

»Vielleicht sind wir gar nicht gesunken«, vermutete der Alte Grüne Grashüpfer. »Vielleicht hatten wir alle so große Angst, dass wir es uns *eingebildet* haben.«

Damit kam der Alte Grüne Grashüpfer der Wahrheit ziemlich nahe. Du musst nämlich wissen, dass der Haifisch eine extrem lange, spitze Nase hat. Sein Maul befindet sich unter seinem Gesicht, irgendwo ganz weit hinten im Kopf. Das bedeutet, dass es einem Haifisch eigentlich nicht möglich ist, seine Zähne in eine große, glatte, runde Oberfläche zu schlagen, wie zum Beispiel in einen Riesenpfirsich. Selbst wenn er sich auf den Rücken drehen würde, könnte er nicht reinbeißen, weil ihm immer seine Nase im Weg wäre. Falls du jemals gesehen hast, wie ein kleiner Hund versucht, nach einem großen Ball zu schnappen, dann kannst du es dir ungefähr vorstellen, wie es mit den Haien und dem Pfirsich ablief.

»Ein Wunder muss geschehen sein«, sagte die Käferdame. »Die Löcher sind wahrscheinlich von ganz allein wieder zugewachsen.«

In diesem Moment rief James: »Seht doch nur! Da unten ist ein Schiff!«

Alle eilten zum Rand des Pfirsichs und spähten hinunter. Keiner von ihnen hatte je zuvor ein Schiff gesehen.

»Es sieht ziemlich groß aus.«

»Es hat drei Schornsteine.«

»Man kann sogar die Menschen darauf erkennen!«

»Winken wir ihnen zu. Glaubt ihr, sie können uns sehen?«

Weder James noch einer der anderen konnte wissen, dass das Schiff unter ihnen die *Queen Mary* war, die gerade den Ärmelkanal verließ und sich auf den Weg nach Amerika machte. Und auf der Schiffsbrücke der *Queen Mary* stand der erstaunte Kapitän mit einer Gruppe Offiziere, und alle gafften sie den großen runden Ball an, der über ihnen schwebte.

»Das gefällt mir nicht«, sagte der Kapitän.

»Mir schon gar nicht«, sagte der erste Offizier.

»Denkt ihr, es verfolgt uns?«, fragte der zweite Offizier.

»Ich sage euch, das gefällt mir nicht«, murmelte der Kapitän.

»Es könnte gefährlich sein«, sagte der erste Offizier.

»Ich hab's!«, schrie der Kapitän. »Das ist eine Geheimwaffe! Heiliges Kanonenrohr! Schickt sofort eine Nachricht an die Queen! Das Land muss gewarnt werden! Und gebt mir mein Fernrohr.«

Der erste Offizier reichte dem Kapitän das Fernglas. Der Kapitän hielt es sich ans Auge.

»Da sind überall Vögel!«, rief er. »Der ganze Himmel ist voll mit Vögeln! Was zur Hölle machen die da? Und wartet! Wartet einen Moment! Da oben sind Leute drauf! Ich sehe, wie sie sich bewegen. Da ist ein – ein – hab ich das verdammte Ding auch richtig eingestellt? Es sieht fast so aus, als wäre da oben ein kleiner Junge in kurzen Hosen! Jawohl, ich kann ganz sicher einen kleinen Jungen in kurzen Hosen erkennen, der da steht. Und dann ist da ein – ein – so eine Art – riesiger Marienkäfer!«

»Jetzt machen Sie mal halblang, Kapitän!«, sagte der erste Offizier.

»Und ein gigantischer grüner Grashüpfer!«

»Kapitän!«, wiederholte der erste Offizier mit Nachdruck. »Kapitän, ich bitte Sie!«

»Und eine Monster-Spinne!«

»Oh weia, der hat sich wieder einen Whisky zu viel genehmigt«, flüsterte der zweite Offizier.

»Und ein kolossaler – ein einfach kolossaler Hundertfuß!«, schrie der Kapitän.

»Ruft den Schiffsarzt«, sagte der erste Offizier. »Unserem Kapitän geht's nicht gut.«

Einen Augenblick später verschwand der große runde Ball hinter einer Wolke, und die Schiffsbesatzung der *Queen Mary* sah ihn nie wieder.

VIERUNDZWANZIG

An Deck des Pfirsichs herrschte immer noch beste Laune.

»Wo wir wohl diesmal landen werden?«, überlegte der Regenwurm.

»Wen kümmert's?«, sagten die anderen. »Früher oder später werden die Möwen schon wieder zum Festland fliegen.«

Höher und immer höher stiegen sie, höher noch als die höchsten Wolken, und der Pfirsich schaukelte dabei sanft hin und her.

»Wäre jetzt nicht ein guter Moment für etwas Musik?«, fragte die Käferdame. »Was halten Sie davon, Alter Grashüpfer?«

»Mit dem größten Vergnügen, gnädige Frau«, sagte der Alte Grüne Grashüpfer mit einer tiefen Verbeugung.

»Hurra! Gleich spielt er uns was vor!«, riefen die Freunde. Sie versammelten sich in einem Kreis um den alten grünen Musikanten – und das Konzert begann.

Vom ersten Ton an war das Publikum von dem Klang ganz und gar verzaubert. Was James betraf, so hatte er noch nie im Leben eine so wunderschöne Musik gehört. Im Garten der Tanten hatte er an Sommerabenden gern dem Zirpen der Grillen im Gras gelauscht. Doch das hier war völlig anders. Das hier war echte Musik – Akkorde, Harmonien, Melodien und was es noch alles gab.

Und auf was für einem wundervollen Instrument der Alte Grüne

Grashüpfer da spielte! Es hörte sich fast so an, als spielte er auf einer Geige. Ja, wirklich, es klang genau wie Geigenspiel!

Der Geigenbogen, also der Teil, der sich bewegte, war sein Hinterbein. Die Saiten der Geige, also der Teil, der die Töne hervorbrachte, war die Kante seines Flügels.

Der Alte Grüne Grashüpfer strich sehr geschickt mit der oberen Hälfte seines Hinterbeins über die Flügelkante, mal langsam, mal schnell, aber immer mit denselben fließenden Bewegungen. So wie ein begnadeter Violinist seinen Bogen bewegt. Die Musik des Alten Grünen Grashüpfers füllte den blauen Himmel um sie herum mit Magie.

Als der erste Teil des Konzertes beendet war, klatschten alle wie verrückt, und Fräulein Spinne erhob sich und rief: »Bravo! Da capo! Zugabe!«

»Hat es dir gefallen, James?«, fragte der Alte Grüne Grashüpfer und lächelte den kleinen Jungen an.

»Und wie!«, rief James. »Es klang genauso schön, als hättest du auf einer richtigen Geige gespielt.«

»Eine *richtige* Geige!«, rief der Alte Grüne Grashüpfer. »Himmel, du machst mir Spaß. Mein lieber Junge, ich *bin* eine richtige Geige! Mein ganzer Körper ist eine Geige!«

»Spielen denn alle Grashüpfer ihre Musik so wie du?«, wollte James wissen.

»Nein«, antwortete der Alte Grüne Grashüpfer. »Nicht alle. Wenn du es genau wissen willst, ich bin ein Kurzfühlergrashüpfer. Siehst du die beiden Fühler auf meinem Kopf? Sie sind ziemlich kurz, nicht wahr? Darum nennt man mich auch Kurzfühler. Und wir Kurzfühler sind die Einzigen, die wie eine Geige spielen können, indem wir einen Bogen benutzen nämlich. Meine Verwandten, die auf ihrem Kopf lange gebogene Fühler haben, können nur musizieren, indem sie die oberen Ränder ihrer Flügel aneinanderreiben. Das sind keine Violinisten, das sind Flügelreiber. Und wenn ich so sagen darf, hört sich das, was die so produzieren, auch ziemlich erbärmlich an. Es klingt eher nach einem Banjo als nach einer Fiedel.«

»Das ist so spannend!«, rief James. »Bis jetzt hab ich keinen Gedanken daran verschwendet, wie Grashüpfer Musik machen.«

»Mein lieber junger Freund«, sagte der Alte Grüne Grashüpfer freundlich, »es gibt auf dieser Welt eine ganze Menge Dinge, über die du dir noch nie Gedanken gemacht hast. Wo glaubst du zum Beispiel, sitzen bei mir die Ohren?«

»Deine Ohren? An deinem Kopf natürlich.«

Alle brachen in Gelächter aus.

»Weißt du noch nicht mal *das*?«, rief der Hundertfuß.

Der Alte Grüne Grashüpfer zwinkerte James aufmunternd zu. »Versuch's noch einmal.«

»Aber du kannst sie nirgendwo sonst haben.«

»Ach, kann ich nicht?«

»Na gut, ich geb's auf – wo hast du deine Ohren?«

»Genau hier«, sagte der Alte Grüne Grashüpfer. »Sie sitzen rechts und links an meinem Bauch.«

»Das ist nicht wahr!«

»Natürlich ist es wahr. Was ist daran so besonders? Du solltest erst mal sehen, wo meine Vettern, die Grillen und die Heuschrecken ihre Ohren haben.«

»Wo denn?«

»In den Beinen. In jedem Vorderbein unterhalb des Knies.«

»Hast du das etwa auch nicht gewusst?«, fragte der Hundertfuß spöttisch.

»Du machst Witze«, sagte James. »Niemand kann Ohren in den Beinen haben.«

»Warum nicht?«

»Weil … weil es einfach zum Lachen ist, darum.«

»Und weißt du, was ich zum Lachen finde?«, fragte der Hundertfuß mit einem verächtlichen Grinsen. »Ich will ja nicht unfreundlich sein, aber ich finde es zum Lachen, wenn die Ohren rechts und links am Kopf sitzen. Wirklich grotesk. Du solltest bei Gelegenheit mal einen Blick in den Spiegel werfen, dann siehst du es selbst.«

»Du elender Quälgeist!«, rief der Regenwurm. »Warum bist du immer so grob und biestig zu allen? Entschuldige dich sofort bei James.«

FÜNFUNDZWANZIG

James wollte nicht, dass sich der Regenwurm und der Hundertfuß schon wieder stritten, also fragte er den Regenwurm: »Sag mal, machst du auch irgendeine Art von Musik?«

Auf der Stelle besserte sich die Laune des Regenwurms. »Nein, aber dafür tue ich andere Dinge, von denen einige wirklich außergewöhnlich sind.«

»Und die wären?«, fragte James.

»Nun«, begann der Regenwurm. »Wenn du das nächste Mal auf einem Feld oder in einem Garten stehst und dich umschaust, dann denk daran, dass jedes Krümelchen Erde, das kleinste Sandkorn, in den letzten Jahren durch den Körper eines Regenwurms gewandert ist. Fantastisch, oder?«

»Das ist unmöglich«, rief James.

»Das ist eine Tatsache, mein Junge.«

»Willst du damit etwa sagen, dass du Erde frisst?«

»Wie ein Verrückter«, sagte der Regenwurm stolz. »An einem Ende *rein*, am anderen wieder *raus*.«

»Und wozu soll das gut sein?«

»Was meinst du damit, wozu das gut sein soll?«

»Na ja, warum tust du das?«

»Wir Regenwürmer tun das für die Bauern. Wir machen den

Boden leicht und locker, sodass alles gut darin wachsen kann. Wenn du es genau wissen willst, ohne uns wären die Bauern verloren. Für die Landwirtschaft sind wir unverzichtbar. Es ist also ganz normal, dass die Bauern uns schätzen. Ich glaube, sie mögen uns noch mehr als die Marienkäfer.«

»Marienkäfer!«, sagte James und schaute die Käferdame an. »Dich mögen sie also auch?«

»Ja, ich habe so etwas gehört«, erwiderte die Käferdame bescheiden und errötete dabei. »Es ist sogar so, dass einige Bauern ganze Säcke voll lebender Marienkäfer kaufen und sie auf ihren Feldern aussetzen. Sie sind sehr froh, wenn sie möglichst viele Marienkäfer auf ihren Äckern haben.«

»Aber warum?«, fragte James.

»Weil wir all die kleinen Schädlinge auffressen, die sich sonst über das Getreide hermachen. Wir sind eine große Hilfe und verlangen keinen Penny für unsere Dienste.«

»Ich finde, ihr seid großartig«, sagte James zu ihr. »Darf ich dich etwas Persönliches fragen?«

»Nur zu.«

»Stimmt es, dass man an der Anzahl der Punkte erkennen kann, wie alt ein Marienkäfer ist?«

»Aber nein, das ist ein Märchen«, sagte die Käferdame. »Unsere Punkte ändern sich nie. Einige von uns sind natürlich mit mehr Punkten geboren als andere, aber die Zahl bleibt immer gleich. Sie zeigt eigentlich nur, zu welchem Zweig der Familie ein Marienkäfer gehört. Ich zum Beispiel, wie du siehst, bin ein Neunpunkt-Marienkäfer. Darüber bin ich sehr glücklich. Ich bin sehr stolz auf meine neun Punkte.«

»Das kannst du auch«, sagte James und schaute bewundernd auf ihren scharlachroten Panzer mit den neun schwarzen Punkten.

»Andererseits haben einige meiner weniger begünstigten Verwandten nur ganze zwei Punkte auf ihrem Panzer!«, fuhr die Käferdame fort. »Kannst du dir das vorstellen? Man nennt sie Zweipunkt-Marienkäfer, und ich muss leider sagen, dass sie äußerst gewöhnlich sind und ein sehr schlechtes Benehmen haben. Und dann gibt es da noch die Marienkäfer mit fünf Punkten. Sie sind viel angenehmer als die mit den zwei Punkten, aber mir sind sie oft ein wenig zu frech.«

»Schätzt man sie trotzdem?«, fragte James.

»Jawohl«, erwiderte die Käferdame bestimmt. »Alle Marienkäfer werden sehr geschätzt.«

»Es sieht ganz so aus, als ob ihr alle sehr beliebt seid!«, sagte James. »Das ist prima.«

»Ich nicht!«, rief der Hundertfuß vergnügt. »Mich finden alle grässlich und ich bin stolz darauf! Ach, was bin ich für ein entsetzlicher, furchtbarer Quälgeist!«

»Hört, hört«, ließ sich der Regenwurm vernehmen.

»Aber was ist mit Ihnen, Fräulein Spinne?«, fragte James. »Werden Sie auch so gemocht?«

»Leider nein«, sagte Fräulein Spinne und seufzte lange und vernehmlich. »Mich mag man so gar nicht. Und dabei tue ich nur

Gutes. Den ganzen Tag fange ich Fliegen und Mücken in meinen Netzen. Ich bin eine überaus ehrbare Person.«

»Das weiß ich«, sagte James.

»Es ist so ungerecht, wie wir Spinnen behandelt werden«, fuhr Fräulein Spinne fort. »Gerade letzte Woche hat deine grauenhafte Tante Stumpf meinen armen lieben Vater in der Badewanne den Abfluss runtergespült.«

»Das ist ja schrecklich!«, rief James.

»Ich hab das Ganze von einer Ecke an der Decke aus mitansehen müssen«, murmelte Fräulein Spinne. »Es war einfach grausam. Wir haben ihn nie wieder gesehen.« Eine dicke Träne lief über ihre Wange und platschte auf den Boden.

»Aber bringt es nicht Unglück, wenn man eine Spinne tötet?«, wollte James wissen und blickte fragend in die Runde.

»Natürlich bringt es Unglück, wenn man eine Spinne tötet!«, rief der Hundertfuß. »Es ist das Schlimmste, was man tun kann. Und denk doch, was mit Tante Stumpf danach passiert ist? Bumms! Wir haben es doch alle gespürt, als der Pfirsich sie platt gewalzt hat. Ach, was muss das für ein liebliches Geräusch für dich gewesen sein, Fräulein Spinne!«

»Es war allerdings sehr zufriedenstellend«, sagte Fräulein Spinne. »Möchtest du uns nicht ein kleines Lied darüber zum Besten bringen, bitte?«

Und das tat der Hundertfuß.

»Tante Stumpf war schrecklich fett
und alles andre als adrett;
ein einz'ger Schwabbel war der Leib
von diesem aufgeblähten Weib
und auch ihr Hintern war nicht nett.

›Sogehts nicht weiter‹, sagte sie.
›Schlank wie 'ne Katz werd ich zwar nie,
doch schränk ich mich beim Essen ein,
Werd ich schon bald viel dünner sein.‹
Da kam der Pfirsich angerollt –
Jetzt ist sie dünner als gewollt.«

»Das war sehr hübsch«, sagte Fräulein Spinne. »Jetzt sing für uns
bitte noch eins über Tante Stiel.«
Der Hundertfuß grinste. »Mit dem größten Vergnügen«, sagte er.

»Tante Stiel war schmal wie Draht
und ausgedörrt wie Zitronat.
Sie war so dürr und lang
und manchmal war ihr schrecklich bang:
Wenn sie zerbräche, das wär' schad'!

›Das ist‹, sprach sie, ›nicht mehr gesund!
Ich brauche Fett! Mehr als ein Pfund!
Am besten ist's, wenn ich mehr futter,
Pralinen, Torten, Brot und Butter,
dann werd ich sicher dick und rund.

Und ich versprech's, bereits heut Nacht
hat die Diät mir was gebracht.‹
Da kam der Pfirsich kichernd an:
›Ich helf dir schon, streng dich nicht an!‹
und hat sie einfach plattgemacht.«

Alle applaudierten und verlangten nach neuen Liedern vom Hundertfuß, der auch sofort sein Lieblingslied anstimmte:

»Es war einmal vor langer Zeit,
als Schweine wie nicht ganz gescheit
mit wilden Affen Tabak schnupften
und Hühner sich die Federn rupften,
um auszusehen wie die Broiler,
und Enten quakten wie die Heuler
und jedes echte Stachelschwein
besoffen war vom süßem Wein
und Ziegen sich in Pudding stürzten,
da ging die alte Witwe Bolte,
die gern vom Sauerkohl sich hol …«

»Pass auf, Hundertfuß!«, rief James. »Pass auf!«

SECHSUNDZWANZIG

Der Hundertfuß, der zu seinem Lied wie wild zu tanzen begonnen hatte, war dabei dem Rand des Pfirsichs gefährlich nahe gekommen. Und drei schreckliche Sekunden lang taumelte er am Abgrund, kreiste wild mit seinen Beinen in der Luft, um das Gleichgewicht zu halten und nicht rückwärts in die Tiefe zu stürzen. Doch bevor ihm jemand zur Hilfe eilen konnte, stieß er einen spitzen Schrei aus und – stürzte ab! Die anderen waren inzwischen zum Rand geeilt und lugten nach unten. Sie sahen, wie sein armer, langer Körper sich überschlug und immer kleiner und kleiner wurde, bis er nicht mehr zu sehen war.

»Seidenraupe!«, schrie James. »Schnell! Fang an zu spinnen!«

Die Seidenraupe seufzte. Das Spinnen der unzähligen Schnüre für die Möwen hatte sie sehr erschöpft. Aber sie tat, worum James sie bat.

»Ich springe hinter ihm her!«, rief James und griff nach dem Ende der Seidenschnur, die die Raupe Stück für Stück ausspuckte, und band es sich um die Hüften. »Haltet die Seidenraupe gut fest, damit sie nicht mit mir runterfällt, und wenn ich später dreimal an dem Seil ziehe, dann holt mich wieder rauf!«

James sprang, er stürzte dem Hundertfuß hinterher, fiel tiefer und immer tiefer, geradewegs auf den Ozean zu. Du kannst dir denken, wie schnell die Seidenraupe arbeiten musste, um mit James mitzuhalten.

»Wir werden keinen von beiden je wiedersehen!«, jammerte die Käferdame. »Oh jemine! Und gerade, als wir alle so glücklich waren!«

Fräulein Spinne, das Glühwürmchen und die Käferdame fingen zu weinen an. Ebenso wie der Regenwurm. »Der Hundertfuß ist mir total egal«, schluchzte er. »Aber diesen kleinen Jungen hatte ich wirklich ins Herz geschlossen.«

Ganz leise begann der Alte Grüne Grashüpfer einen Trauer-marsch zu spielen, und als der letzte Ton verklang, waren alle, auch der Musiker, in Tränen aufgelöst.

Doch dann wurde dreimal kräftig am Seil gezogen. »Zieht!«, schrie der Alte Grüne Grashüpfer. »Stellt euch in eine Reihe hinter mich und zieht!«

Sie mussten fast eine Meile Schnur einholen, aber alle zogen aus Leibeskräften, und schließlich tauchte am Ende des Seils ein tropfnasser James mit einem tropfnassen Hundertfuß auf, der sich mit all seinen zweiundvierzig Beinen fest an den Jungen geklammert hatte.

»Er hat mich gerettet!«, keuchte der Hundertfuß. »Er ist durch den Atlantischen Ozean geschwommen, bis er mich gefunden hat!«

»Mein lieber Junge«, sagte der Alte Grüne Grashüpfer und klopfte James auf die Schulter. »Ich gratuliere dir.«

»Meine Stiefel!«, schrie der Hundertfuß. »Seht euch nur meine kostbaren Stiefel an! Das Wasser hat sie komplett ruiniert!«

»Sei still!«, sagte der Regenwurm. »Du kannst von Glück sagen, dass du noch lebst.«

»Steigen wir immer noch höher?«, fragte James.

»Allerdings«, antwortete der Alte Grüne Grashüpfer. »Und es wird langsam dunkel.«

»Ich weiß. Es ist bald Nacht.«

»Warum gehen wir nicht alle runter ins Warme und bleiben dort bis morgen früh?«, schlug Fräulein Spinne vor.

»Nein«, erwiderte der Alte Grüne Grashüpfer. »Ich glaube, das wäre keine gute Idee. Es ist sicherer, wenn wir heute Nacht hier oben bleiben und Wache halten. Sollte etwas passieren, dann sind wir wenigstens vorbereitet.«

SIEBENUNDZWANZIG

James Henry Trotter und seine Freunde rückten auf dem Deck des Pfirsichs eng zusammen, während die Nacht über ihnen hereinbrach. Wolkenberge türmten sich um sie herum auf, geheimnisvoll, bedrohlich, überwältigend. Nach und nach wurde es dunkler und dunkler, und schließlich erschien ein blasser Dreiviertelmond über den Wolken und tauchte alles in ein gespenstisches Licht. Der Riesenpfirsich schaukelte sanft hin und her und schwebte immer weiter. Die aberhundert weißen Seidenschnüre, die vom Pfirsichstiel in den Himmel stiegen, sahen in dem silbrigen Mondlicht wunderschön aus, genau wie die Schar weißer Möwen.

Nichts rührte sich. Mit einem Pfirsich zu fliegen ist etwas ganz anderes als mit dem Flugzeug zu reisen. Ein Flugzeug dröhnt und röhrt durch den Himmel. Sobald sich eins dieser Ungetüme nähert, bringt sich, wer oder was auch immer da oben in den riesigen Wolkenbergen lauert, schnell in Sicherheit. Darum sehen Menschen, die mit dem Flugzeug reisen, nie etwas Ungewöhnliches, wenn sie aus dem Fenster schauen.

Doch der Pfirsich … oh ja … der Pfirsich war ein sanftes, unaufdringliches Gefährt, das lautlos durch die Luft schwebte. Und so bekamen James und seine Freunde während dieser langen, stillen

Fahrt im Mondlicht, hoch oben über dem weiten Ozean, Dinge zu sehen, die noch nie jemand zuvor erblickt hatte.

Als sie gerade an einer gigantischen weißen Wolke vorbeisegelten, sahen sie auf deren Gipfel eine Gruppe seltsamer, langer, geisterhaft anmutender Schemen. Sie waren ungefähr doppelt so groß wie gewöhnliche Menschen. Auf den ersten Blick waren sie kaum zu erkennen, da sie fast genau so weiß waren wie die Wolken selbst. Doch als der Pfirsich näher kam, erkannten unsere Freunde, dass diese »Schemen« in Wirklichkeit lebendige Wesen waren – große, dünne, gespenstische, schattengleiche Wesen, die aussahen, als bestünden sie aus einer Mischung von Baumwolle, Zuckerwatte und dünnen weißen Haaren.

»Oooooooooooh!«, rief die Käferdame. »Das gefällt mir ganz und gar nicht!«

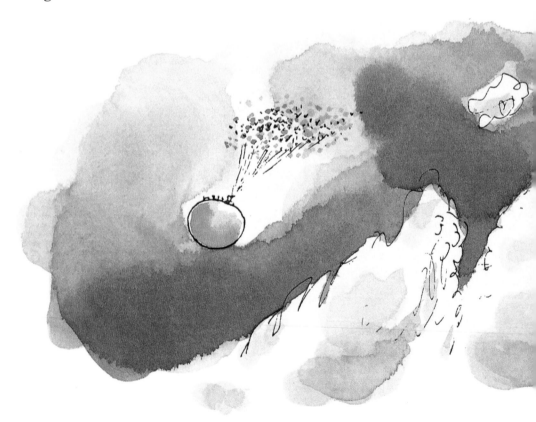

»Pssst!«, flüsterte James. »Lass sie das nicht hören! Das müssen Wolkenmänner sein!«

»Wolkenmänner!«, murmelten die anderen und rückten noch ein wenig näher zusammen. »Oh weh, oh weh!«

»Zum Glück bin ich blind und kann sie nicht sehen«, sagte der Regenwurm, »sonst würde ich vor Angst bestimmt schreien.«

»Hoffentlich entdecken sie uns nicht«, hauchte Fräulein Spinne.

»Glaubt ihr, sie würden uns auffressen?«, fragte der Regenwurm.

»Sie würden *dich* auffressen!«, gab der Hundertfuß grinsend zur Antwort. »Sie würden dich wie eine Salami aufschneiden und in dünnen Scheiben verspeisen.«

Der arme Regenwurm begann vor Angst am ganzen Körper zu zittern.

»Aber was *tun* sie denn da?«, flüsterte der Alte Grüne Grashüpfer.

»Ich weiß es nicht«, sagte James leise. »Warten wir's ab.«

Die Wolkenmänner standen in einer Gruppe zusammen und
taten etwas überaus Seltsames. Zuerst griffen sie mit den Händen
in die Wolkenmasse und zogen einzelne Fetzen heraus. Dann roll-
ten sie diese zwischen ihren Fingern, bis sie die Form von großen
Murmeln annahmen. Die warfen sie zur Seite, um sofort wieder
neue Wolkenmasse zu Murmeln zu formen.

Das alles vollzog sich in einer geheimnisvollen Stille. Der Haufen Murmeln neben den Wolkenmännern wurde immer größer und
größer. Bald schon war es eine ganze Wagenladung.

»Die sind doch total plemplem!«, rief der Hundertfuß. »Vor
denen müssen wir uns nicht fürchten!«

»Sei still, du Quälgeist!«, flüsterte der Regenwurm. »Wenn sie
uns sehen, fressen sie uns alle auf!«

Doch die Wolkenmänner waren viel zu sehr mit ihrer seltsamen
Arbeit beschäftigt, um den Riesenpfirsich zu bemerken, der still
und leise an ihnen vorbeizog.

Plötzlich sahen unsere Freunde, wie einer der Wolkenmänner seine spindeldürren Arme über den Kopf hob, und hörten ihn
rufen: »Na gut, Jungs! Das reicht! Holt die Schaufeln!« Sogleich
stießen die anderen Wolkenmänner einen merkwürdig hohen Freu-
denschrei aus, hüpften auf und ab und wedelten mit den Armen
in der Luft. Dann griffen sie nach riesigen Spaten, eilten zu dem
Murmelberg und begannen die Murmeln von der Wolke zu schaufeln, mitten hinein ins Nichts. »*Runter mit ihnen!*«, sangen sie dabei.

»Runter damit als Hagel und Schnee
so viel Eis,
alles wird weiß,
vor Frost tun euch die Nasen weh!«

»Das sind Hagelkörner!«, flüsterte James aufgeregt. »Sie haben Hagelkörner gemacht und jetzt lassen sie sie auf die Menschen unter uns los!«

»Hagelkörner?«, fragte der Hundertfuß. »Das ist doch Humbug! Wir haben Sommer. Im Sommer hagelt es nicht.«

»Sie üben schon für den Winter«, erklärte James.

»Das glaube ich nicht!«, sagte der Hundertfuß aufgebracht.

»Pssst!«, flüsterten die anderen. Und James sagte leise: »Du lieber Himmel, Hundertfuß, nicht so laut.«

Der Hundertfuß schüttelte sich vor Lachen. »Diese Doofköppe hören doch eh nichts!«, rief er. »Die sind taub wie Türklinken! Guckt doch mal!« Und bevor ihn jemand zurückhalten konnte, hielt er sich schon sein erstes Paar Füße an den Mund und brüllte den Wolkenmännern zu: »Schwachköpfe! Trottel! Dämlacke! Dummbeutel! Esel! Tölpel! Was zur Hölle treibt ihr da?«

Das blieb nicht ohne Folgen. Die Wolkenmänner sprangen auf, als hätte sie ein Wespenschwarm gestochen. Und als sie den großen goldenen Pfirsich sahen, der keine fünfzig Meter an ihnen vorbei segelte, kreischten sie vor Schreck laut auf und ließen ihre Schaufeln fallen. Und da standen sie nun, vom Mondlicht beschienen, völlig regungslos wie eine Gruppe großer weißer, haariger Statuen und starrten die Riesenfrucht an.

Die Passagiere auf dem Pfirsich (alle, bis auf den Hundertfuß) waren vor Angst wie versteinert. Sie blickten die Wolkenmänner an und fragten sich, was nun geschehen würde.

»Jetzt hast du's geschafft, du Ungeheuer!«, zischte der Regenwurm dem Hundertfuß zu.

»Ich habe doch keine Angst vor *denen*!«, rief der Hundertfuß, und um diese Aussage zu bekräftigen, richtete er sich zu seiner vollen Größe auf, hüpfte herum und drehte den Wolkenmännern mit all seinen 42 Füßen eine lange Nase.

Dies trieb die Wolkenmänner offensichtlich zur Weißglut. Alle auf einmal bückten sie sich, griffen Hände voll Hagelkörner, rannten zum Rand der Wolke und bewarfen den Pfirsich damit. Dabei brüllten sie vor Wut.

»Achtung!«, rief James den anderen zu. »Schnell, legt euch hin! Legt euch flach auf den Boden!«

Zu ihrem Glück folgten die Freunde seinem Rat. Wenn es nur kräftig genug geworfen wird, kann dich ein großes Hagelkorn genauso schlimm verletzen wie ein Stein oder ein Klumpen Blei. Und, du meine Güte, diese Wolkenmänner konnten vielleicht werfen! Die Hagelkörner sausten durch die Luft wie die Munition eines Maschinengewehrs. James konnte hören, wie sie den Pfirsich trafen und sich mit grässlichen, schmatzenden Geräuschen ins Fruchtfleisch bohrten – *Plopp! Plopp! Plopp! Plopp!* Und dann *Pling! Pling! Pling!*, als sie klirrend vom Panzer der armen Käferdame abprallten, die sich nicht so flach hinlegen konnte wie die anderen. Es folgte *Knacks!*, als eins der Hagelkörner den Hundertfuß genau auf die Nase traf und noch einmal *Knacks!*, als ihn ein zweites erwischte.

»Aua!«, rief er. »Aua! Stopp! Hört auf!«

Doch die Wolkenmänner dachten gar nicht daran aufzuhören. James konnte sehen, wie sie auf der Wolke hin und her sausten wie eine Horde riesiger, haariger Geister. Immer wieder holten sie Hagelkörner von dem großen Haufen, liefen zum Ende der Wolke, schleuderten sie auf den Pfirsich und rannten wieder zurück, um mehr Hagel zu holen. Und als sie alle Hagelkörner aus dem Haufen aufgebraucht hatten, griffen sie in die Wolke, rissen Fetzen heraus und formten neuen Hagel, so viel sie wollten, und noch größere Körner als zuvor, manche davon so groß wie Kanonenkugeln.

»Schnell!«, schrie James. »Den Tunnel runter, oder wir werden vom Pfirsich gefegt!«

Alle stürzten auf den Tunnel zu und keine Minute später waren sie unten im Inneren des Kerns und endlich in Sicherheit. Unsere Freunde zitterten vor Angst, als sie den Geräuschen der Hagelkörner lauschten, die in den Pfirsich knallten.

»Ich bin am Ende!«, jammerte der Hundertfuß. »Ich bin überall verwundet!«

»Geschieht dir ganz recht«, sagte der Regenwurm.

»Könnte jemand so freundlich sein und nachschauen, ob mein Panzer einen Sprung bekommen hat?«, fragte die Käferdame.

»Mach das Licht an!«, rief der Alte Grüne Grashüpfer.

»Kann ich nicht!«, heulte das Glühwürmchen. »Sie haben meine Glühbirne kaputt gemacht!«

»Dann dreh eine neue rein!«, rief der Hundertfuß.

»Seid doch mal ruhig«, sagte James. »Ich glaube, sie haben aufgehört.«

Alle waren still und lauschten. Tatsächlich – der Lärm hatte aufgehört. Der Pfirsich war nicht länger unter Beschuss.

»Wir sind ihnen entwischt!«

»Die Möwen müssen uns aus der Gefahr gezogen haben.«

»Hurra! Lasst uns an Deck gehen und nachschauen!«

Mit James an ihrer Spitze, kletterten die Freunde den Tunnel wieder hoch. James steckte seinen Kopf aus dem Eingang und schaute sich um.

»Die Luft ist rein!«, rief er. »Ich kann sie nirgendwo entdecken!«

ACHTUNDZWANZIG

Einer nach dem anderen kletterten unsere Freunde aus dem Tunnel zurück nach oben. Vorsichtig blickten sie sich nach allen Seiten um. Der Mond schien immer noch so hell wie zuvor und immer noch türmten sich riesige Wolkenberge auf. Doch Wolkenmänner waren keine mehr darauf zu sehen.

»Der Pfirsich ist leckgeschlagen!«, rief der Alte Grüne Grashüpfer, als er an der Seite hinabspähte. »Überall sind Löcher und der Saft tropft heraus!«

»Das war's!«, kreischte der Regenwurm. »Wenn der Pfirsich ein Leck hat, dann werden wir mit ihm untergehen!«

»Sei kein Esel!«, fuhr ihn der Hundertfuß an. »Wir sind doch gar nicht mehr im Wasser!«

»Oh, seht doch!«, rief die Käferdame. »Seht doch, da … da … drüben!«

Alle drehten sich um.

In der Ferne, genau in ihrer Richtung, erhob sich eine Art Bogen, ein kolossales, halbrundes Ding, das hoch in den Himmel reichte und mit beiden Enden auf einer riesigen flachen Wolke ruhte, die so groß und weit war wie eine Wüste.

»Was um alles in der Welt ist das?«, fragte James.

»Das ist eine Brücke!«

»Ein riesiger halbierter Reifen!«

»Ein gigantisches Hufeisen, das auf dem Kopf steht!«

Der Hundertfuß wurde blass. »Korrigiert mich, wenn ich falsch liege«, murmelte er, »aber sind das nicht Wolkenmänner, die da oben auf dem Ding rumklettern?«

Alle verstummten vor Schreck. Der Pfirsich schwebte immer näher und näher auf den Bogen zu.

»Das *sind* Wolkenmänner!«

»Hunderte von ihnen!«

»Tausende!«

»Millionen!«

»Ich will das nicht hören!«, kreischte der arme blinde Regenwurm. »Lieber hinge ich aufgespießt an einem Angelhaken und würde als Köder benutzt, als noch mal einer dieser grässlichen Gestalten ausgeliefert zu sein!«

»Und ich würde lieber bei lebendigem Leib geröstet und von einem Mexikaner verspeist werden!«, jammerte der Alte Grüne Grashüpfer.

»Bitte seid still«, flüsterte James. »Das ist unsere einzige Chance.«

Sie kauerten sich mucksmäuschenstill zusammen und starrten wie gebannt auf die Wolke, auf der es von Wolkenmännern nur so wimmelte. Hunderte von ihnen kletterten auf diesem monströsen, seltsamen Bogen herum.

»Was ist das nur für ein Ding?«, flüsterte die Käferdame. »Und was tun sie da bloß?«

»Es ist mir total schnuppe, was sie damit anstellen!«, sagte der Hundertfuß und trippelte zum Tunneleingang zurück. »Ich werde jedenfalls nicht länger hier oben bleiben! Lebt wohl!«

Doch die anderen waren wie erstarrt vor Schreck und konnten sich nicht rühren.

»Wisst ihr was?«, flüsterte James.

»*Was?*«, fragten sie. »*Was?*«

»Dieser riesige Bogen – ich glaube, sie malen ihn an! Da, sie haben Farbeimer und große Pinsel! Seht doch!«

James hatte recht. Die Reisegesellschaft war nun nah genug an die große Wolke herangekommen, um sehen zu können, was die Wolkenmänner da trieben. Alle hatten sie riesige Pinsel in ihren Händen und verteilten mit einer höllischen Geschwindigkeit Farbe auf dem riesigen Bogen. Sie arbeiteten so schnell, dass der Bogen innerhalb weniger Minuten mit den leuchtendsten Farben bedeckt war. Er strahlte in Rot, Blau, Grün, Gelb und Violett.

»Ein Regenbogen!«, riefen unsere Freunde im Chor. »Sie machen einen Regenbogen!«

»Nein, ist das schön!«

»Schaut euch diese Farben an!«

»Hundertfuß! Du *musst* hochkommen und dir das ansehen!« Sie waren so aus dem Häuschen, dass sie vergaßen, leise zu sein. Vorsichtig steckte der Hundertfuß den Kopf aus dem Tunnel.

»Sieh mal einer an«, sagte er. »Ich habe mich immer schon gefragt, wie diese Dinger gemacht werden. Aber wozu brauchen sie die Seile? Was machen sie da mit den Seilen?«

»Ich werd verrückt!«, rief James. »Sie schubsen ihn von der Wolke! Da! Sie lassen ihn an den Seilen auf die Erde runter.«

»Und ich verrate euch noch etwas«, sagte der Hundertfuß triumphierend. »Wenn mich nicht alles täuscht, rasseln wir gleich mitten in den Regenbogen rein.«

»Grundgütiger, er hat recht!«, rief der Alte Grüne Grashüpfer entsetzt.

Der Regenbogen baumelte nun unterhalb der Wolke in der Luft. Auf derselben Höhe befand sich der Pfirsich und steuerte mit großer Geschwindigkeit geradewegs auf den Regenbogen zu.

»Wir sind verloren!«, schluchzte Fräulein Spinne und rang ihre Beine. »Das ist das Ende!«

»Ich halte das nicht mehr aus!«, heulte der Regenwurm. »Sagt mir doch, was passiert gerade?«

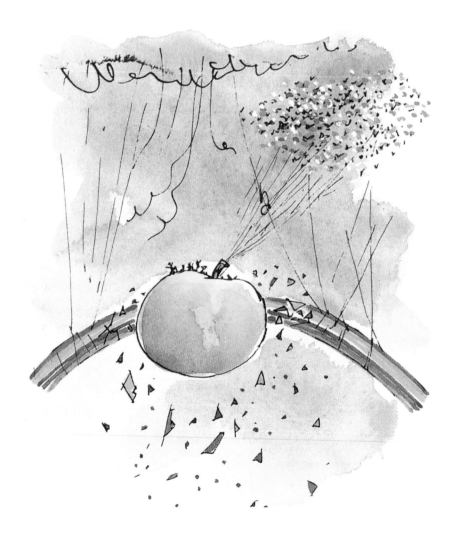

»Wir kommen sicher dran vorbei!«, verkündete die Käferdame.

»Kommen wir nicht!«

»Doch!«

»Doch! – Doch! – Nein! – Ach, herrje!«

»Haltet euch fest!«, rief James. Es gab einen gewaltigen Rumms, als der Pfirsich oben in den Regenbogen krachte. Mit einem grässlichen, splitternden Geräusch brach der Regenbogen genau in der Mitte durch und zerfiel in zwei Teile.

Doch was als Nächstes passierte, war noch viel fürchterlicher. Die Seile, an denen die Wolkenmänner den Regenbogen heruntergelassen hatten, verhedderten sich mit den Seidenschnüren, an denen die Möwen den Pfirsich zogen! Unter unseren Freunden brach Panik aus. James Henry Trotter warf einen schnellen Blick nach oben auf die Wolke. Tausende wütender Wolkenmänner starrten zurück. Ihre Gesichter waren formlos, da sie über und über mit langen weißen Haaren bedeckt waren. Keine Nasen, keine Münder, keine Ohren, kein Kinn – nur ihre Augen waren deutlich sichtbar, zwei kleine schwarze Augen, die böse durch die Haare blitzten.

Und dann passierte das Allerfürchterlichste. Einer der Wolkenmänner, eine riesige, haarige Kreatur, die mindestens vier Meter groß war, erhob sich und sprang mit einem Riesensatz von der Wolke herunter. James und seine Freunde sahen voller Entsetzen, wie er mit ausgestreckten Armen durch die Luft flog, nach einer der Seidenschnüre griff und sich mit Händen und Beinen daran festklammerte. Und dann - langsam, sehr langsam - kletterte er an der Schnur auf den Pfirsich zu.

»Gnade! Hilfe! Rette uns!«, kreischte die Käferdame.

»Er will uns fressen!«, rief der Alte Grüne Grashüpfer. »Springt von Bord!«

»Friss den Regenwurm zuerst!«, schrie der Hundertfuß. »Mich zu fressen ist kein Vergnügen, ich bin voller Gräten wie ein Bückling!«

»Hundertfuß!«, rief James, »Schnell! Beiß die Schnur durch, an der er runterklettert!«

Der Hundertfuß eilte zum Pfirsichstiel, nahm die Seidenschnur zwischen die Zähne und durchtrennte sie mit einem Happs. Sogleich entfernte sich eine einzelne Möwe vom Rest des Schwarms und flog davon, wobei sie die lange Seidenschnur hinter sich herzog. Am Ende der Schnur klammerte sich verzweifelt der riesige, haarige Wolkenmann fest, er fluchte und schnaubte vor Wut. Höher und immer höher stieg er und schwang wie ein Pendel am Nachthimmel. James Henry Trotter schaute ihm fasziniert hinterher. »Wahnsinn, er muss leicht sein wie eine Feder, wenn ihn eine einzelne Möwe so weit hochziehen kann! Wahrscheinlich besteht er aus nichts als Haaren und Luft.«

Die anderen Wolkenmänner waren so verblüfft, einen ihrer Kumpane auf diese Art und Weise davonsegeln zu sehen, dass sie die Seile losließen, an denen der Regenbogen hing. Das hatte natürlich zur Folge, dass der Regenbogen hinabstürzte, besser gesagt beide Teile davon, runter auf die Erde. Das wiederum befreite den Pfirsich, der nun endlich von dieser schrecklichen Wolke fortkam.

Doch unsere Freunde waren noch lange nicht in Sicherheit. Die wütenden Wolkenmänner sprangen auf, rannten ihnen am Rand der Wolke hinterher und bewarfen sie mit allen möglichen harten und ekelhaften Gegenständen: Leere Farbeimer, Pinsel, Trittleitern, Schemel, Töpfe, Pfannen, verfaulte Eier, tote Ratten, Flaschen mit Haarwasser – alles, was diesen Scheusalen in die Finger kam, wurde auf den Pfirsich geschleudert. Ein Wolkenmann kippte treffsicher einen Eimer voll dicker violetter Farbe vom Rand der Wolke genau auf den Hundertfuß.

Der Hundertfuß schrie vor Wut. »Meine Beine!«, kreischte er. »Meine Beine kleben zusammen! Ich kann nicht mehr laufen! Und meine Augen gehen nicht mehr auf! Ich kann nichts sehen! Und meine Stiefel! All meine Stiefel sind ruiniert!«

Doch die anderen waren alle viel zu sehr damit beschäftigt, den Geschossen der Wolkenmänner auszuweichen, um dem Hundertfuß Beachtung zu schenken.

»Jetzt trocknet die Farbe!«, jammerte der. »Sie wird ganz fest! Ich kann meine Beine nicht bewegen! Ich kann gar nichts bewegen!«

»Du kannst immer noch deinen Mund bewegen«, sagte der Regenwurm. »Und das ist schlimm genug.«

»James!«, brüllte der Hundertfuß. »Bitte hilf mir! Wasch diese Farbe ab! Kratz sie runter! Tu doch was!«

NEUNUNDZWANZIG

Es dauerte eine halbe Ewigkeit, bis die Möwen es endlich geschafft hatten, den Pfirsich weit genug weg von der abscheulichen
Regenbogen-Wolke zu ziehen. Doch irgendwann war es so weit,
und alle versammelten sich um den Hundertfuß und überlegten,
wie man ihn am besten von der Farbe befreien konnte.

Der Ärmste bot wirklich einen jammervollen Anblick. Er war
von Kopf bis runter zum zweiundvierzigsten Fuß komplett violett.
Und da die Farbe bereits angefangen hatte zu trocknen, musste er

ganz starr und reglos dasitzen, als ob er in Zement gegossen wäre. Jedes seiner zweiundvierzig Beine stand wie ein Stöckchen von ihm ab. Er versuchte, etwas zu sagen, doch er konnte seine Lippen nicht mehr bewegen. Er brachte nur noch gurgelnde Laute hervor.

Der Alte Grüne Grashüpfer streckte ein Bein aus und berührte den Hundertfuß vorsichtig am Bauch. »Aber wie kann die Farbe nur so schnell getrocknet sein?«, fragte er.

»Es ist Regenbogenfarbe«, erklärte James. »Regenbogenfarbe trocknet sehr schnell und wird sehr hart.«

»Ich verabscheue jede Art von Farbe«, verkündete Fräulein Spinne. »Sie macht mir Angst. Sie erinnert mich an Tante Stiel – die *verblichene* Tante Stiel, meine ich –, denn als sie das letzte Mal ihre Küche strich, trat meine arme geliebte Großmutter in die noch feuchte Farbe und blieb darin kleben. Die ganze Nacht hindurch rief sie nach uns: ›Hilfe! Hilfe! Hilfe!‹, und es war herzzerreißend, es mitanhören zu müssen. Doch was hätten wir tun können? Nichts, solange die Farbe nicht trocken war. Am nächsten Tag kamen wir natürlich sofort zu ihr und brachten ihr etwas zu essen. Ob ihr es glaubt oder nicht, so lebte meine arme Großmutter ganze sechs Monate lang, kopfüber an der Decke klebte sie mit ihren Beinen in der Farbe. Wirklich! Wir fütterten sie jeden Tag. Wir brachten ihr frisch gefangene Fliegen aus unseren Netzen. Doch dann, letzten April, am sechsundzwanzigsten, um genau zu sein, warf Tante Stumpf – die *verblichene* Tante Stumpf, meine ich – einen Blick nach oben und entdeckte meine Großmutter. ›Eine Spinne!‹, schrie sie. ›Eine widerliche Spinne! Schnell! Bring mir den Wischmopp mit dem langen Griff!‹ Und dann – ach, es war so grausam, ich mag gar nicht daran denken …«

Fräulein Spinne wischte sich eine Träne ab und sah den Hundertfuß traurig an. »Armer Freund«, murmelte sie. »Es tut mir so leid für dich.«

»Die Farbe wird nie abgehen!«, rief der Regenwurm vergnügt. »Unser Hundertfuß wird keinen Mucks mehr machen. Er wird eine Statue bleiben und wir werden ihn in der Mitte des Gartens aufstellen, mit einer Vogeltränke auf seinem Kopf.«

»Wir könnten versuchen, ihn zu schälen wie eine Banane«, schlug der Alte Grüne Grashüpfer vor.

»Oder ihn mit Sandpapier abschmirgeln«, überlegte die Käferdame.

»Wenn er jetzt seine Zunge rausstreckt«, sagte der Regenwurm mit einem Lächeln – vielleicht das erste Lächeln in seinem ganzen Leben, »wenn er sie ganz weit rausstreckt, dann könnten wir sie packen und alle dran ziehen. Und wenn wir kräftig genug gezogen haben, dann können wir ihn von innen nach außen stülpen und er hätte eine neue Haut!«

Einen Moment lang dachten alle über diesen interessanten Vorschlag nach.

»Ich glaube«, begann James langsam, »ich glaube, das Beste wird sein …« Er hielt inne. »Was war *das*?«, unterbrach er sich. »Ich habe eine Stimme gehört! Jemand hat etwas gerufen!«

DREIßIG

Alle hoben erwartungsvoll ihre Köpfe und spitzten die Ohren.

»Pssst! Da ist es wieder!«

Doch die Stimme war viel zu weit von ihnen entfernt, um sie verstehen zu können.

»Das ist ein Wolkenmann!«, schrie Fräulein Spinne. »Ich weiß es genau! Es muss ein Wolkenmann sein! Sie sind wieder hinter uns her!«

»Es kam von da oben«, sagte der Regenwurm, und alle schauten sofort hoch, außer dem Hundertfuß, der sich nicht bewegen konnte.

»Auweia!«, jammerten die Freunde. »Zu Hilfe! Gnade! Diesmal erwischt es uns!«

Direkt über ihren Köpfen hing drohend eine riesige schwarze Wolke, eine wabernde, grässliche, gefährliche Gewitterwolke, die grollte und donnerte. Und dann ertönte von der Spitze der Wolke noch einmal die ferne Stimme, diesmal laut und vernehmlich.

»Dreht die Hähne auf!«, dröhnte sie. »Hähne auf! Hähne auf!«

Drei Sekunden später platzte die Wolke auf wie eine Papiertüte und – Wasser schoss heraus. Direkt auf James und seine Freunde zu. Doch es waren nicht nur einzelne Regentropfen. Ganz und gar nicht. Es war ein riesiger Wasserklops, als ob ein See oder ein ganzes Meer über ihnen ausgekippt würde. Es schüttete und schüttete und

schüttete ohne Ende. Zuerst klatschte das Wasser auf die Möwen, dann auf den Pfirsich. Die armen Reisenden schrien vor Angst und griffen panisch nach irgendetwas, woran sie sich festhalten konnten, nach dem Pfirsichstiel, nach den Seidenschnüren, nach egal was. Und die ganze Zeit schoss donnernd das Wasser auf sie herab, klatschte und platschte, spritzte und sprudelte, schwappte und prasselte, gurgelte und wirbelte, rauschte und brauste ohne Unterlass. Es fühlte sich an, als wären sie unter dem größten Wasserfall der Welt festgenagelt und kämen nicht los. Die Freunde konnten nicht sprechen. Sie konnten nichts sehen. Sie konnten nicht atmen. Und James Henry Trotter, der sich krampfhaft an eine der Seidenschnüre klammerte, war davon überzeugt, dass dies das Ende der Welt sein müsste. Doch mit einem Mal, genauso plötzlich, wie sie begonnen hatte, endete die Sintflut. Das Unwetter war vorbei. Die wunderbaren Möwen waren einfach durch den Wolkenbruch hindurchgeflogen und am anderen Ende sicher herausgekommen. Und wieder segelte der Riesenpfirsich friedlich durch die geheimnisvolle Mondnacht.

»Man hat mich ertränkt«, japste der Alte Grüne Grashüpfer und spuckte eimerweise Wasser aus.

»Ich bin völlig durchweicht!«, jammerte der Regenwurm. »Ich hab immer gedacht, meine Haut sei wasserdicht, aber das ist sie nicht, und nun ist der ganze Regen in mir drin.«

»Schaut mich an, schaut mich an!«, rief der Hundertfuß aufgeregt. »Ich bin sauber gewaschen. Die ganzeFarbe ist weg! Ich kann mich wieder bewegen!«

»Das ist die schlechteste Nachricht, die ich seit Langem gehört habe«, erwiderte der Regenwurm.

Der Hundertfuß tanzte auf dem Deck herum, schlug Purzelbäume und sang aus voller Kehle:

>*»Hurra! Dank sei Sturm und Regen!*
Das ist kein Scherz:
Ich kann mich bewegen
und spür' keinen Schmerz.
Bin wieder der Alte und allen ein Graus,
der schlimmste Quälgeist im ganzen Haus.
Ich weiß, das kommt euch nicht gelegen!«

»Ach, sei doch bitte still!«, flehte der Alte Grüne Grashüpfer.

»Schaut mich an!«, wiederholte der Hundertfuß und sang weiter:

>*»Schaut mich an! Ich kann wieder gehen! Kann wieder gehen!*
Kein Kratzer, keine Beule, kein Blut ist zu sehen!
Jetzt habt ihr alle schon gedacht,
sie hätten mir den Garaus gemacht,
und fast hätten sie es vollbracht
ja wirklich, sie hätten es fast vollbracht!
Doch hier bin ich, bei bestem Wohlergehen.«

EINUNDDREIßIG

Wie schnell wir auf einmal sind«, sagte die Käferdame. »Ich frage mich, warum?«

»Ich glaube, den Möwen gefällt es hier genauso wenig wie uns«, erwiderte James. »Bestimmt wollen sie so schnell wie möglich weg von hier. Der Sturm hat ihnen sicher einen ziemlichen Schreck eingejagt.«

Den Pfirsich im Schlepptau legten die Möwen an Tempo zu. Mit einer unglaublichen Geschwindigkeit schossen sie über den Himmel. Zu beiden Seiten zogen die Wolken vorbei, gespenstisch weiß im Mondlicht. Ein paarmal erhaschten James und seine Freunde einen Blick auf die Wolkenmänner, die oben auf den Wolken herumkraxelten und dabei ihr finsteres Werk verrichteten.

Einmal flogen sie an einer Schneemaschine vorbei. Die Wolkenmänner drehten an der Kurbel und eine Flut von Schneeflocken ergoss sich aus einem großen Trichter auf die Erde. Sie sahen die riesigen Trommeln, auf die die Wolkenmänner mit langen Hämmern einschlugen, um gewaltigen Donner zu erzeugen. Sie sahen die Frostfabriken und die Windmaschinen und die Orte, an denen Zyklone und Tornados zusammengerührt wurden, um sie wirbelnd auf die Erde zu schicken.

Und einmal, tief im Tal einer aufgeplusterten Wolke, entdeckten sie etwas, das aussah wie eine Stadt, eine Wolkenmänner-Stadt. Überall in der Wolkenwand öffneten sich Höhlen. Die Frauen der Wolkenmänner hockten dort vor kleinen Öfen und brieten in der Pfanne Schneebälle für das Abendessen ihrer Männer. Die Kinder der Wolkenmänner tobten zu Hunderten dort herum, schrien vor Vergnügen und rutschten die Wolkenhügel mit ihren Schlitten hinunter.

Eine Stunde später, kurz vor Sonnenaufgang, hörten die Reisenden über sich ein Rauschen, und als sie aufblickten, sahen sie eine ungeheuer große, fledermausartige Gestalt, die sich aus der Dunkelheit auf sie herabstürzte. Sie umkreiste den Pfirsich und schlug dabei langsam mit ihren breiten Flügeln. Im Mondlicht starrte sie unsere Freunde an, dann stieß sie eine Reihe von tiefen Klagelauten aus und flog schließlich in die Nacht davon.

»Ach, ich wünschte, es würde endlich Morgen«, seufzte Fräulein Spinne, die am ganzen Körper zitterte.

»Es kann nicht mehr lange dauern«, sagte James. »Sieh mal, da hinten wird es schon hell.«

Ganz still saßen die Freunde da und schauten dabei zu, wie die Sonne allmählich über dem Horizont aufstieg und einen neuen Tag ankündigte.

Bei Tagesanbruch standen alle auf und dehnten ihre verkrampften Glieder. Plötzlich schrie der Hundertfuß, der immer als Erster alles zu entdecken schien: »Schaut doch nur! Unter uns ist Land!«

»Er hat recht!«, riefen die Freunde, liefen zum Rand des Pfirsichs und spähten nach unten. »Hurra! Hurra!«

»Ich sehe Straßen und Häuser!«

»Aber wie riesig alles ist!«

Eine riesige Stadt erstreckte sich tausend Meter unter ihnen. Aus dieser Höhe sahen die Autos aus wie kleine Käfer, die durch die Straßen wuselten, und die Menschen, die auf den Bürgersteigen spazierten, waren nicht größer als eine Rußflocke.

»Aber was sind das für hohe Häuser!«, rief die Käferdame. »So etwas habe ich in England noch nie gesehen. Was für eine Stadt mag das wohl sein?«

»Das ist unmöglich eine Stadt in England«, meinte der Alte Grüne Grashüpfer.

»Aber wo ist es dann?«, fragte Fräulein Spinne.

James hüpfte vor Aufregung auf und ab. »Wisst ihr, was das für Gebäude sind?«, rief er. »Das sind Wolkenkratzer! Also muss das da unten Amerika sein. Und das bedeutet, Freunde, dass wir in der Nacht den Atlantischen Ozean überquert haben!«

»Das ist nicht dein Ernst!«

»Unmöglich!«

»Wahnsinn! Unglaublich!«

»Ach, ich habe immer davon geträumt, nach Amerika zu gehen!«, rief der Hundertfuß. »Ich hatte mal einen Freund, der –«

»Halt die Klappe!«, unterbrach ihn der Regenwurm. »Keiner hier interessiert sich für deinen Freund. Die Frage ist doch jetzt: Wie um alles in der Welt kommen wir wieder runter auf die Welt?«

»Frag James«, sagte die Käferdame.

»Ich glaube nicht, dass das so ein großes Problem ist«, erklärte James. »Wir müssen nur ein paar der Möwen losmachen. Aber natürlich nicht zu viele auf einmal, gerade genug, dass die anderen uns nur noch knapp in der Luft halten können. Dann werden wir ganz langsam sinken, solange, bis wir auf der Erde landen. Hundertfuß wird die Schnüre eine nach der anderen durchbeißen.«

DREIUNDDREIßIG

Währenddessen brach unter ihnen in New York Chaos aus. Am Himmel, genau über Manhattan, war ein monströser Ball von der Größe eines Hauses gesichtet worden. Sofort verbreitete sich das Gerücht, dass es sich um eine riesige Bombe aus einem feindlichen Land handelte, die nach New York geschickt worden war, um die ganze Stadt in Schutt und Asche zu legen.

Überall in der Stadt heulten die Sirenen, Radio- und Fernsehprogramme wurden unterbrochen mit der Ankündigung, dass die Bevölkerung sich zum Schutz sofort in die Keller begeben sollte.

Eine Million Menschen, die auf den Straßen auf dem Weg zur Arbeit waren, schauten hoch in den Himmel, sahen das Monster

drohend über ihnen und flüchteten sich in den nächsten U-Bahn-Eingang. Generäle schnappten sich Telefone und bellten jedem, den sie an die Strippe bekamen, Befehle zu. In seiner Not rief der Bürgermeister von New York sogar den Präsidenten der Vereinigten Staaten in Washington D.C. an und bat um Hilfe. Der Präsident, der noch im Schlafanzug war und gerade frühstückte, schob seinen Teller Cornflakes beiseite und drückte rechts und links sämtliche Knöpfe, um seine Admiräle und Generäle zusammenzurufen.

Und überall in ganz Amerika, in diesem riesengroßen Land, in allen fünfzig Bundesstaaten, von Alaska bis Florida, von Pennsylvania bis Hawaii wurde Alarm geschlagen und die Nachricht verbreitet, dass die größte Bombe der Weltgeschichte über New York hing und jeden Augenblick explodieren konnte.

VIERUNDDREIßIG

Komm schon, Hundertfuß, beiß die erste Schnur durch«, befahl James.

Der Hundertfuß nahm eine der Seidenschnüre zwischen die Zähne und biss sie durch. Und einmal mehr (diesmal allerdings ohne einen wütenden Wolkenmann, der am Ende baumelte) löste sich eine einzelne Möwe vom Rest des Schwarms und flog allein davon.

»Jetzt die nächste«, sagte James.

Der Hundertfuß durchbiss eine zweite Schnur.

»Warum sinken wir nicht?«

»Aber wir sinken doch!«

»Tun wir nicht!«

»Vergesst nicht, der Pfirsich ist inzwischen viel leichter als am Anfang unserer Reise«, sagte James. »Als uns die Wolkenmänner mit den Hagelkörnern beworfen haben, hat er jede Menge Saft verloren. Schneid noch zwei Möwen ab, Hundertfuß!«

»Ah, das ist schon besser!«

»Ab geht's!«

»Jetzt sinken wir tatsächlich!«

»Ja, so ist es perfekt! Lass die anderen Schnüre noch heil, Hundertfuß, sonst sinken wir zu schnell! Ganz vorsichtig.«

Langsam verlor der Riesenpfirsich an Höhe und die Gebäude und Straßen unter ihnen kamen näher und näher.

»Glaubt ihr, sie werden uns für die Zeitung fotografieren, wenn wir unten ankommen?«, fragte die Käferdame.

»Grundgütiger, ich hab ganz vergessen, meine Stiefel zu putzen!«, rief der Hundertfuß. »Ihr müsst mir helfen, meine Stiefel zu polieren, bevor wir unten ankommen.«

»Du lieber Himmel!«, sagte der Regenwurm. »Kannst du nicht einmal an etwas anderes denken als an –«

Doch er brachte seinen Satz nicht zu Ende. Denn plötzlich … *Wuuusch!* … schoss aus einer Wolke ein riesiges viermotoriges Flugzeug und fegte keine sechs Meter über ihre Köpfe hinweg. Das war die Maschine, die jeden Morgen von Chicago nach New York flog. Und im Vorbeifliegen durchschnitt sie mit ihren Flügeln jede einzelne der Seidenschnüre, und sogleich machten sich die Möwen auf und davon. Und der Riesenpfirsich, den nun nichts mehr in der Luft hielt, plumpste wie ein Stein vom Himmel.

»Hilfe!«, schrie der Hundertfuß.

»Rette uns, James!«, schrie Fräulein Spinne.

»Wir sind verloren!«, schrie die Käferdame.

»Das ist das Ende!«, schrie der Alte Grüne Grashüpfer.

»James!«, schrie der Regenwurm. »Tu doch was, James! Schnell, tu irgendwas!«

»Ich kann nicht!«, schrie James zurück. »Es tut mir leid! Lebt wohl! Macht die Augen zu! Jetzt dauert es nicht mehr lange!«

FÜNFUNDDREIßIG

Auf seinem Weg nach unten überschlug sich der Pfirsich und drehte und drehte sich um sich selbst. Um nicht in die Luft geschleudert zu werden, hielten sich unsere Freunde verzweifelt am Stiel fest.

Der Pfirsich fiel schneller und immer schneller. Mit höllischer Geschwindigkeit näherte er sich den Häusern und Straßen unter ihm. Bestimmt würde er beim Aufprall in tausend Stücke zerschellen!

Entlang der Fifth Avenue und der Madison Avenue und in allen anderen Straßen New Yorks schauten die Menschen, die sich noch nicht in Sicherheit gebracht hatten, nach oben und sahen den Pfirsich auf sich zukommen. Sie hielten inne und starrten wie hypnotisiert auf das, was sie für die größte Bombe der Welt hielten. Einige Frauen schrien. Andere knieten sich an Ort und Stelle hin und begannen laut zu beten. Starke Männer sahen sich an und sagten Sachen wie: »Ich schätze mal, das war's, Joe.« Oder: »Lebt wohl, Jungs, lebt wohl.« Und für die nächsten dreißig Sekunden hielt die gesamte Stadt den Atem an und wartete auf ihr Ende.

SECHSUNDDREISSIG

An den Pfirsichstiel geklammert, stieß James hervor: »Leb wohl, Käferdame. Leb wohl, Hundertfuß. Lebt wohl, alle miteinander!«

Nur noch wenige Sekunden blieben ihnen, bis sie mitten zwischen all den Hochhäusern aufschlagen würden. James sah die Wolkenkratzer rasend schnell auf sich zukommen. Die meisten von ihnen hatten flache, quadratische Dächer, das Dach des größten jedoch lief spitz zu – wie eine gigantische Nadel, die in den Himmel stach.

Und genau auf diese Nadel fielen sie!

Es gab ein schmatzendes Geräusch. Tief bohrte sich die Nadel ins Fruchtfleisch. Und da war er nun, der Riesenpfirsich: Aufgespießt von der Spitze des Empire State Buildings.

SIEBENUNDDREISSIG

Es war wirklich ein beeindruckender Anblick. Und sobald die Menschen auf den Straßen begriffen hatten, dass es sich unmöglich um eine Bombe handeln konnte, strömten sie auf der Stelle aus den Unterführungen hervor, um das Wunder zu bestaunen. Im Umkreis von einer halben Meile um das Empire State Building herum füllten sich die Straßen mit Menschen, und als sich dann noch rumsprach, dass sich oben auf dem riesigen Ball lebendige Wesen befanden, waren alle vollends aus dem Häuschen.

»Eine fliegende Untertasse!«, riefen sie.

»Das sind Außerirdische!«

»Marsmenschen!«

»Vielleicht kommen sie ja vom Mond!«

Und ein Mann, der durch ein Fernglas schaute, verkündete: »Die da oben sehen *ziemlich* seltsam aus, das kann ich euch sagen.«

Polizeiwagen und Feuerwehrautos kamen mit viel Tatütata aus allen Richtungen der Stadt angebraust und parkten vor dem Empire State Building. Zweihundert Feuerwehrmänner und sechshundert Polizisten strömten ins Gebäude und fuhren mit den Fahrstühlen so hoch sie konnten. Dann ergossen sie sich auf die Aussichtsplattform – das ist der Ort, an dem für gewöhnlich die Touristen stehen – genau am Fußende der großen Nadel.

Die Polizisten hatten ihre Revolver im Anschlag, die Zeigefinger am Abzug, und die Feuerwehrleute umklammerten ihre Äxte. Doch da sie genau *unter* dem Pfirsich standen, konnten sie die Reisegruppe auf der Spitze gar nicht sehen.

»Hey, ihr da oben!«, rief der Polizeichef. »Kommt raus und zeigt euch!«

Plötzlich erschien der große braune Kopf des Hundertfuß an der Seite des Pfirsichs. Seine schwarzen Augen, so groß und rund wie zwei Glaskugeln, funkelten die Polizisten und Feuerwehrmänner an. Dann verzog sich sein monströses, hässliches Gesicht zu einem breiten Grinsen.

»Achtung!«, schrien alle durcheinander. »Das ist ein Drache!«

»Das ist kein Drache! Das ist ein Wampus!«

»Es ist ein Gorgone!«

»Ein Lindwurm!«

»Ein Gargoyl!«

Drei Feuerwehrmänner und fünf Polizisten fielen in Ohnmacht und mussten weggebracht werden.

»Das ist ein Ghul!«, schrie der Polizeichef.

»Ein Humunkulus!«, rief der Leiter der Feuerwehrbrigade.

Der Hundertfuß grinste immer noch. Der Tumult, den er verursacht hatte, bereitete ihm großes Vergnügen.

»Jetzt hören Sie mal zu!«, rief der Polizeichef. »Hören Sie mir gut zu! Ich möchte, dass Sie mir genau erklären, wo Sie herkommen!«

»Wir sind viele tausend Meilen gereist!«, rief der Hundertfuß zurück, grinste noch breiter und zeigte seine braunen Zähne.

»Da habt ihr's!«, verkündete der Polizeichef. »Ich hab euch doch gesagt, die kommen vom Mars!«

»Ich schätze, da haben Sie recht«, sagte der Leiter der Feuerwehrbrigade.

In diesem Moment tauchte der Kopf des Alten Grünen Grashüpfers neben dem des Hundertfuß auf.

Als sie ihn erblickten, fielen sechs weitere starke Männer in Ohnmacht.

»Das ist ein Ork!«, schrie der Leiter der Feuerwehrbrigade. »Ich bin mir ganz sicher, das ist ein Ork!«

»Oder ein Tatzelwurm!«, rief der Polizeichef. »Zurücktreten, Männer! Er kann jeden Moment auf uns runterspringen!«

»Was um alles in der Welt reden die da?«, fragte der Alte Grüne Grashüpfer den Hundertfuß.

»Was weiß denn ich«, gab der Hundertfuß zurück, »aber sie scheinen sich über irgendwas schrecklich aufzuregen.«

Nun erschien auch noch der große schwarze Kopf von Fräulein Spinne, und für einen Außenstehenden war dieses Antlitz wohl das schrecklichste von allen.

»Donner und Doria!«, schrie der Leiter der Feuerwehrbrigade. »Jetzt sind wir erledigt! Das ist eine riesige Tarantula!«

»Viel schlimmer!«, kreischte der Polizeichef. »Es ist eine blutrünstige Mantikula! Oh, seht euch doch nur diese blutrünstige Visage an!«

»Ist das so eine, die erwachsene Männer zum Frühstück verspeist?«, fragte der Leiter der Feuerwehrbrigade und wurde weiß wie die Wand.

»Genau so eine, befürchte ich«, erwiderte der Polizeichef.

»Ich bitte Sie, warum hilft uns denn keiner herunter?«, fragte Fräulein Spinne. »Mir wird hier oben ganz schwindelig.«

»Das könnte eine Falle sein!«, sagte der Leiter der Feuerwehrbrigade. »Keine Bewegung, bevor ich nicht den Befehl dazu gebe!«

»Wahrscheinlich haben sie Weltraumwaffen«, murmelte der
Polizeichef.

»Aber irgendetwas müssen wir tun!«, verkündete der Leiter der
Feuerwehrbrigade finster. »Da unten stehen fünf Millionen Menschen und schauen uns zu.«

»Warum stellen Sie dann keine Leiter auf?«, fragte der Polizeichef. »Ich bleibe hier und halte sie fest, damit sie nicht umfällt, und
Sie klettern die Leiter rauf und sehen nach, was da vor sich geht.«

»Na herzlichen Dank auch!«, blaffte der Leiter der Feuerwehrbrigade.

Wenig später waren es schon *sieben* große, fantastische Gesichter, die an der Seite des Pfirsichs hervorlugten – der Hundertfuß,
der Alte Grüne Grashüpfer, Fräulein Spinne, der Regenwurm, die
Käferdame, die Seidenraupe und das Glühwürmchen. Unter den
Feuerwehrmännern und Polizisten auf dem Dach brach Panik aus.

Dann, mit einem Mal, war die Panik vorbei und ein Aufatmen
ging durch die Menge. Denn plötzlich war ein kleiner Junge neben
den fürchterlichen Kreaturen aufgetaucht. Seine Haare wehten im
Wind, und er lachte und winkte und rief: »Hallo, alle zusammen!
Hallo!«

Eine Weile standen die Männer unter dem Pfirsich einfach nur
da und glotzten. Sie trauten ihren Augen nicht.

»Gott behüte!«, schrie der Leiter der Feuerwehrbrigade und lief
rot an. »Das ist *wirklich* ein kleiner Junge, oder?«

»Bitte habt keine Angst vor uns!«, rief James. »Wir sind so glücklich, hier zu sein!«

»Was ist mit den anderen da neben dir?«, rief der Polizeichef zurück. »Sind die gefährlich?«

»Natürlich sind sie nicht gefährlich!«, antwortete James. »Das sind die nettesten Geschöpfe auf der Welt! Erlauben Sie mir, sie Ihnen einen nach dem anderen vorzustellen, dann werden Sie mir sicher glauben.«

»Also: Das hier ist der Hundertfuß,
und ich sag's euch ohne Schmus:
Keiner ist so nett wie er,
so süß, so lieblich und so fair!
Er ist zwar etwas groß geraten
Doch seid ihr alle gut beraten,
falls ihr wen braucht, die Brut zu sitten,
den Hundertfuß darum zu bitten.
Selbst ihre Kinder schrei'n nach ihm,
verriet mir jüngst die Königin.«
(Die Feuerwehr rief laut: »Hört! Hört!
Hat er den Adel schon betört?«)

»Unser Regenwurm hingegen
ist für die Bauern echt ein Segen.
Um und um gräbt er die Erde,
damit das Korn auch etwas werde.
Doch damit ist es nicht getan:
Er gräbt auch Tunnel für die Bahn,
sogar Kanäle kreuz und quer,
hier ist der Meister, schaut nur her!
Und ihn erfreut's, wenn man ihn lobt,
ihr seht: Vor Stolz wird er ganz rot.«
(Und Fräulein Spinne jubelnd schrie:
»Schönere Worte hört' ich nie!«)

»Der Grashüpfer hier, mein liebes Publikum,
ist weltberühmt als Musikant,
er fiedelt nicht nur schrumm-schrumm dideldumm,
sein Spiel ist wirklich fulminant.
Und er geigt und er geigt und er geigt
jede Melodie, die ihr ihm zeigt.
Und kitzelt ihr ihn kurz am Bein,
lässt er das Hüpfen nicht mehr sein.«
(»Für Kinder perfekt, das ist mal klar!«,
rief da begeistert der Kommissar.)

»Und nun zeig ich euch ein besonderes Wesen,
ein Glühwürmchen, einfach und schlicht.
Uns allen ist es stets eine Hilfe gewesen,
denn charmanterweise spendet es Licht.
Hängt es an der Decke oder der Wand,
herrscht sofort strahlende Helle im Land.
Glaubt mir, ich neige nicht zu Scherzen,
bald braucht ihr weder Strom noch Kerzen,

nie mehr, niemals, nie!
So spart ihr 'ne Menge Energie.«
(Bei diesen Worten riefen die Polizisten:
»Wir werden sogleich unsre Lampen ausmisten!«)

»Und Fräulein Spinne kennt ihr doch auch.
Endlose Fäden hat sie im Bauch.
Sie bat mich herzlich, euch zu sagen,
dass sie niemals schlüpft in fremde Kragen
und niemanden erschrecken will.
Gut, sie ist schon ziemlich schrill,
Doch sagt euch einfach jeden Tag:
›Spinnen sind echt keine Plag!
Ich muss sie schützen, muss sie hegen!
Vielleicht zu mir ins Bettchen legen!‹«
(Die Polizei lächelte milde,
die Feuerwehr war gleich im Bilde,
und niemand sagte was dagegen.)

»Die Käferdame hier, mein Liebling, so weise,
so schön, so freundlich, ein Trost auf der Reise!
Vierhundert Kinder ließ sie weinend zurück,
der nächste Pfirsich bringt sie her, zum Glück.«
(Die Polizisten schrien: »Diese Dame ist wundervoll«,
die Feuerwehrleute tanzten Tango wie toll,
die Menge jubelte in Dur und in Moll.)

Doch James fuhr fort: »*Es fehlt noch eine*
und die ist nützlich wie sonst keine.
Die Seidenraupe will ich euch präsentieren,
mit ihrer Seide möcht' jeder sich ausstaffieren.
'nen feineren Stoff man nirgendwo kaufen kann,
nicht in Rom, nicht in Singapur oder Hindustan.
Ja, sucht nur bis ans Ende der Welt,
ihr findet nichts, was euch besser gefällt.
Jedermann schätzt ihre Kunst,
in den höchsten Kreisen steht sie in Gunst,
denn vor noch gar nicht langer Zeit
spann sie Seide für das Hochzeitskleid
der Königin und für des Präsidenten Weste;
denn solche Kunden wollen stets das Beste!«

(»Wen diese Raupe alles kennt!
Sie ist ja wirklich prominent!«,
riefen die Cops, und die Menge schrie:
»*Herunter* mit ihnen, jetzt oder nie!«)

ACHTUNDDREIßIG

Fünf Minuten später waren sie alle vom Pfirsich herunter und auf die Aussichtsplattform gebracht worden, und James konnte endlich seine Geschichte einer Gruppe entgeisterter Beamter erzählen.

Und mit einem Mal war jeder der Reisenden ein Held! Alle zusammen wurden sie zu den Stufen des Rathauses gebracht und dort hielt der Bürgermeister von New York eine Willkommensrede. Und während er das tat, machten sich einhundert Bergsteiger, ausgerüstet mit Seilen, Leitern und Flaschenzügen zur Spitze des Empire State Buildings auf, hoben den Riesenpfirsich von der Nadel und ließen ihn auf die Straße herab.

Der Bürgermeister rief: »Jetzt gibt es eine Konfettiparade für unsere wundervollen Gäste!«

Also wurde ein Festzug veranstaltet, den James und seine Freunde in einer riesigen Limousine mit offenem Verdeck anführten.

Es folgte der Riesenpfirsich höchstselbst. Männer mit Kränen und Haken hatten ihn in Windeseile auf einen sehr großen Lastwagen verfrachtet, und da ruhte er nun, so riesig und stolz und wacker wie eh und je. Natürlich gab es jetzt ein großes Loch, und zwar dort, wo die Spitze des Empire State Buildings ihn aufgespießt hatte – aber wen kümmerte das? Wen kümmerte der Saft, der auf die Straße tröpfelte?

Hinter dem Lastwagen mit dem Pfirsich fuhr die Limousine des Bürgermeisters und schlidderte im Pfirsichsaft hin und her. Und hinter der Limousine des Bürgermeisters fuhren ungefähr zwanzig andere Limousinen, in denen all die übrigen wichtigen Leute der Stadt saßen.

Nun war die Menge vollends aus dem Häuschen. Die Menschen säumten die Straßen und lehnten sich aus den Fenstern der Wolkenkratzer, jubelten und schrien und klatschten und warfen Papierfetzen und Konfetti, und James und seine Freunde standen in ihrer Limousine auf und winkten im Vorbeifahren zurück.

Dann geschah etwas höchst Bemerkenswertes. Der Festzug bewegte sich langsam die Fifth Avenue entlang, als sich plötzlich ein kleines Mädchen in einem roten Kleid aus der Menge löste und rief: »Oh James, James! Kann ich *bitte* ein kleines Stück von eurem wunderbaren Pfirsich haben?«

»Nur zu!«, gab James zurück. »Iss, so viel du willst! Er wird sich sowieso nicht ewig halten.«

Kaum hatte er das gesagt, als schon fünfzig andere Kinder auf sie zu gerannt kamen.

»Können wir auch was abhaben?«, riefen sie.

»Natürlich könnt ihr das!«, antwortete James. »Alle können etwas abhaben!«

Begeistert hüpften die Kinder auf den Lastwagen, und wie ein Schwarm hungriger Wespen fielen sie über den Riesenpfirsich her und aßen nach Herzenslust. Als sich die Nachricht davon in den Straßen verbreitete, kamen immer mehr kleine Jungen und Mädchen aus allen Richtungen angerannt, um sich das Festmahl nicht entgehen zu lassen. Bald schon hatte sich eine lange Schlange von

Kindern gebildet, die hinter dem Pfirsich herliefen, der weiter langsam die Fifth Avenue hinauffuhr. Es war wirklich ein fantastischer Anblick. Manche Leute fanden, dass es aussah, als würde der Rattenfänger von Hameln durch New York ziehen. Und für James, der sich in seinen kühnsten Träumen nicht hatte vorstellen können, dass es auf der Welt so viele Kinder gab, war es das Schönste, was er je gesehen hatte.

Als der Festzug zum Ende kam, war der riesige Pfirsich ganz und gar aufgegessen. Auf dem Lastwagen stand nur noch der große braune Kern, der von zehntausend kleinen, eifrigen Zungen abgeleckt worden war und nun vor Sauberkeit glänzte.

NEUNUNDDREIßIG

Und auf diese Weise endete die Reise. Doch die Reisenden lebten weiter. Jeder von ihnen wurde wohlhabend und erfolgreich in seiner neuen Heimat.

Der Hundertfuß wurde zum kaufmännischen Direktor einer Manufaktur von edlen Stiefeln und Schuhen ernannt.

Der Regenwurm mit seiner zarten rosa Haut wurde von einer Kosmetikfirma angestellt, um im Fernsehen Werbung für Gesichtscreme zu machen.

Nachdem die Seidenraupe und Fräulein Spinne gelernt hatten, statt Seide Nylonfäden zu spinnen, gründeten sie zusammen ein Unternehmen, das Seile für Seiltänzer herstellte.

Das Glühwürmchen leuchtete fortan in der Fackel der Freiheitsstatue und bewahrte so die dankbare Stadt New York davor, jedes Jahr eine riesige Stromrechnung bezahlen zu müssen.

Der Alte Grüne Grashüpfer wurde Mitglied bei den New Yorker Symphonikern, wo sein virtuoses Spiel auf großen Beifall stieß.

Die Käferdame, die ihr ganzes Leben lang Angst davor gehabt hatte, dass ihr Haus abbrennen und sie ihre Kinder verlieren könnte, heiratete den Leiter der Feuerwehrbrigade, und die beiden lebten glücklich bis ans Ende ihrer Tage.

Und was den riesigen Pfirsichkern betrifft – so bekam der einen Ehrenplatz im Central Park und wurde ein berühmtes Denkmal. Doch er war mehr als das. Er war auch ein berühmtes Haus. Und in diesem berühmten Haus lebte eine berühmte Person –

JAMES HENRY TROTTER

höchstpersönlich.

Und egal, an welchem Tag der Woche jemand vorbeikam, er musste nur an die Tür klopfen und die Tür wurde immer geöffnet, und James bat den Besucher herein und zeigte ihm den berühmten Raum, in dem er seinen Freunden zum allererstem Mal begegnet war. Und manchmal, wenn man Glück hatte, war der Alte Grüne Grashüpfer auch da und saß gemütlich in einem großen Sessel am Kamin. Oder die Käferdame, die auf eine Tasse Tee und einen Plausch vorbeigeschneit war, oder der Hundertfuß, der einundzwanzig Paar neue und außerordentlich elegante Stiefel vorführen wollte, die er gerade erstanden hatte.

An allen sieben Tagen in der Woche strömten Hunderte und Aberhunderte von Kindern aus aller Welt in die Stadt, um den wunderbaren Pfirsichkern mitten im Central Park zu bewundern. Und James Henry Trotter, der, wie du dich sicher erinnern kannst, der traurigste und einsamste kleine Junge auf der ganzen Welt gewesen war, hatte nun so viele Freunde und Spielkameraden, wie er sich nur wünschen konnte. Und weil sie ihn immer und immer wieder baten, seine Geschichte vom Abenteuer mit dem Riesenpfirsich zu erzählen, dachte er sich, wie schön es doch wäre, eines Tages ein Buch darüber zu schreiben.

Und das tat er.

Und *das* hast du eben ausgelesen.

Der Autor

Roald Dahl war Spion, Kampfpilot, Schoko-
ladenforscher und medizinischer Erfinder.
Er ist außerdem Autor von *Matilda*, *Charlie
und die Schokoladenfabrik*, *Sophiechen und
der Riese* und vielen anderen grandiosen
Geschichten.

Der Illustrator

Quentin Blake hat über 300 Bücher illustriert
und war Roald Dahls Lieblingsillustrator.
Er wurde für sein Werk mit zahlreichen
Preisen ausgezeichnet, darunter die Kate
Greenaway Medal und der Hans-Christian-
Andersen-Preis.

Die Übersetzerinnen

Sabine Ludwig wurde in Berlin geboren. Nach dem Studium arbeitete sie als Rundfunkredakteurin, bis sie sich als Autorin selbstständig machte. Sie hat zahlreiche Kinder- und Jugendbücher geschrieben, die mehrfach ausgezeichnet und in viele Sprachen übersetzt wurden. Sie selbst übersetzt aus dem Englischen und wurde dafür u.a. für den Deutschen Jugendliteraturpreis nominiert. Sabine Ludwig lebt mit ihrer Familie in Berlin.

Emma Ludwig, geboren 1993 in Berlin, studierte Illustration an der HGB Leipzig und machte dort auch ihr Diplom. Sie übersetzt aus dem Englischen für verschiedene Verlage. Zurzeit lebt sie in Wien und ist am Burgtheater im Bereich Kostümbild tätig.

184 Seiten
ISBN 978-3-328-30157-8

Charlie kann es nicht fassen: Er hat eine der heißbegehrten goldenen
Eintrittskarten für die Schokoladenfabrik von Willy Wonka gewonnen!
Willy Wonka – das ist der geniale Erfinder von zauberköstlichen Süßigkeiten,
die er in seiner sagenumwobenen Fabrik produziert. Was sich hinter deren
Mauern abspielt, ist ein ganz großes Geheimnis ...
So beginnt für Charlie eine atemberaubende, haarsträubende,
zähneklappernd-aufregende Achterbahnfahrt in das wunderbarste
Abenteuer seines Lebens!

www.penguin-junior.de

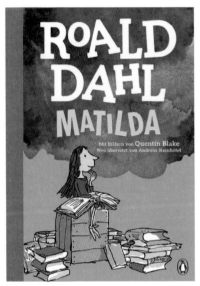

240 Seiten
ISBN 978-3-328-30158-5

Matilda ist ein sehr besonderes kleines Mädchen. Sie ist blitzgescheit und liest unendlich viele Bücher, sie ist mutig und abenteuerlustig und sie hat ein großes Herz. Jeder Pappkopf könnte das erkennen – doch die Erwachsenen sind leider völlig ahnungslos. Allen voran die gefürchtete Rektorin von Matildas Schule. Sie heißt Knüppelkuh und benimmt sich auch so. Einzig Matildas Klassenlehrerin, Jennifer Honig, erkennt, was in Matilda steckt. Leider hat es die Knüppelkuh auf Jenny Honig ganz besonders abgesehen. Womit sie allerdings nicht gerechnet hatte: Matilda ist nicht nur ein Wunderkind, sondern auch ein Zauberkind. Und unerbittlich, wenn es um die Verteidigung ihrer Freunde und Freundinnen geht ...

www.penguin-junior.de

ROALD DAHL

Lauter
LIEBLINGSBÜCHER

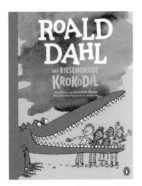

Das riesengroße Krokodil
40 Seiten,
ISBN 978-3-328-30170-7

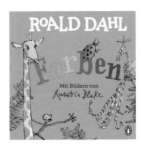

Farben
18 Seiten,
ISBN 978-3-328-30171-4

Formen
14 Seiten,
ISBN 978-3-328-30174-5

Charlie
und die Schokoladenfabrik
ca. 200 Seiten,
ISBN 978-3-328-30157-8

Hexen hexen
ca. 220 Seiten,
ISBN 978-3-328-30159-2

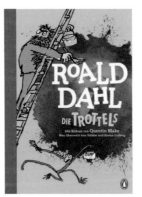

Matilda
ca. 240 Seiten,
ISBN 978-3-328-30158-5

James und der Riesenpfirsich
ca. 192 Seiten,
ISBN 978-3-328-30161-5

Die Trottels
ca. 112 Seiten,
ISBN 978-3-328-30166-0

Der fantastische Mister Fox
ca. 112 Seiten,
ISBN 978-3-328-30167-7

PENGUIN
JUNIOR

www.penguin-junior.de

Bei diesem Buch wurden die durch das verwendete Material und die
Produktion entstandenen CO_2-Emissionen ausgeglichen, indem
Penguin JUNIOR ein Projekt zur Aufforstung in Brasilien unterstützt.
Weitere Informationen zu dem Projekt unter:
www.ClimatePartner.com/14044-1912-1001

FSC
www.fsc.org

MIX
Papier aus verantwor-
tungsvollen Quellen
FSC® C011124

Penguin Random House
Verlagsgruppe FSC® N001967

Mehr über Roald Dahl bei roalddahl.com

1. Auflage 2022
© der deutschen Ausgabe
2022 Penguin JUNIOR in der
Penguin Random House Verlagsgruppe GmbH,
Neumarkter Str. 28, 81673 München
Alle Rechte vorbehalten
Text © The Roald Dahl Story Company Limited, 1961
ROALD DAHL ist ein eingetragenes Warenzeichen
von The Roald Dahl Story Company Ltd.
Illustrationen © Quentin Blake, 1995, 1999
Kolorierung: Vida Williams
Diese Ausgabe ist unter dem Titel »James and the Giant Peach«
zuerst 2004 in England erschienen bei
PUFFIN BOOKS, Penguin Random House Ltd, 80 Strand, London WC2R 0RL
Umschlaggestaltung: Miriam Wasmus
Umschlagillustration: Quentin Blake
ck · Herstellung: AW
Satz: Uhl + Massopust, Aalen
Reproduktion: Lorenz & Zeller, Inning a.A.
Druck: Mohn Media Mohndruck GmbH, Gütersloh
ISBN 978-3-328-30161-5
Printed in Germany

www.penguin-junior.de